悟园

40位造园大师背后的故事

[英]斯蒂芬·安德顿 著　　景璟　王宏飞 译

华中科技大学出版社
http://www.hustp.com
中国·武汉

前言

营造意境园林

营造直线园林

营造曲线园林

营造植栽园林

图片来源

前　言

　　也许你会怀疑园林是否属于人类文明中极其奢华的产物，但是想想看，为什么每年会有数百万的人们经过长途跋涉前来欣赏它们？杰出的园林其实就是一件件艺术品，而我们的整个世界则是用来展示这些艺术品的画廊。和所有杰出的艺术品一样，它们虽然不是实际意义上的生活必需品，但却是无价之宝。而这正是园林的奇妙之处。

　　历史上有各种各样的园林。比如最初在住所旁开辟的蔬菜园，它隔离了野生或家养的动物；还有修道院和医院中的植物园，它是用围墙隔开的，有的甚至还在植物园的周围设置了深沟，用来保护园子里珍稀的植物。在东方，园林是荒野中的天堂，抑或是具有高度象征意义和传统意义的哲学与宗教的庇护所。像这样的园林，即使是在经济不景气的时候也会存在。当经济好转时，观赏性的花园就在富裕家庭，甚至是小康人家中蓬勃发展起来。就如同在19世纪，英国的乡村园林受到英国园林设计师格特鲁德·杰基尔的推崇一样。

　　但是，当金钱开始大量流通时（这种流通源自帝国征服、贸易往来、贵族长期的土地使用权或中产阶级的兴起）我们才看到了宏大的观赏性园林——富足的生活，促成了奢侈品的诞生。因此，在文艺复兴时期，佛罗伦萨美第奇家族资助伟大的艺术家进行绘画；法国的贵族、皇室，以及后来18世纪因贸易致富的英国政客阶级，也雇用了优秀的园林设计师为自己设计景观花园。观赏性园林展示了一个人的财富和品位。但无论是否为私家园林，它都是一种民主的媒介：那些风景持续不断地给观赏者们带来巨大的愉悦感，无论是王公贵族、游览者，还是匆匆的过客。

　　←在20世纪中期，维塔·萨克维尔－韦斯特和她的丈夫哈罗德·尼科尔森在肯特郡设计了著名的西辛赫斯特城堡花园，迄今为止已被成千上万的人参观过。维塔的种植方式十分丰富，总是充满艺术感和有目的的凌乱，但从来没有过于保持原始生长状态。

那么，什么样的人会来设计园林呢？一方面，他们知道如何通过使用自己或客户的钱，将自己的想法以三维立体的形式展现出来，当然其中一些人会因此而负债累累。花钱是一回事，怎样更好地使用钱又是另外一回事。不是所有的园林都需要充足的资金，本书中所介绍的这些杰出的园林设计师们就有能力充分利用现有的资源，使他们设计出的园林独具特色，而不是仅仅进行简单的植物拼凑。18世纪的园林设计师——兰斯洛特·布朗，称自己为"场所营造者"，这听上去有些无趣，甚至带有自嘲的意味。但事实上，一旦你理解了"一个优秀的园林就是一处拥有独一无二自然风貌的、特别的环境"这一原则，"场所营造者"就成了目标明确和充满抱负的代名词，它意味着园林设计师可以创造出更为美好的场所，而不仅仅是各部分的结合。

　　杰出的园林设计师们来自于世界各地，有着各种各样的背景。其中一些出身卑微，比如"万能"布朗和最有影响力的园林设计师之一的安德烈·勒诺特尔，布朗原先只是在18世纪的穷乡僻壤——诺森伯兰郡的一个小庄园里当园丁。他聪明、有抱负，也善于处世，用了几年时间就结交了不少当地杰出的政治家。威廉·罗宾逊是野生自然主义园林设计的先驱，他原先是爱尔兰乡村的园林设计师，以个人魅力和坚毅的决心，成功转型为作者和出版商。如果这样的提升听上去令人难以置信，那么你还是有必要了解，在"园林世界"里，包含了园林师、设计师、园林所有者、植物学

↓在这幅19世纪的版画中可以看到，由安德烈·勒诺特尔设计的凡尔赛宫巨大的园林，有着强烈的对称和严谨的轴线。这个园林是路易十四统治秩序的象征；以国王的卧室为起点，构建气势磅礴的中轴线。

↑亨利·霍尔的斯托海德园：由一条砾石路环绕着湖面，在其中行走可以看到不同的景色；既有独立的建筑，也有几栋建筑组合在一起的景观；树冠经过修剪，保持着纤细而疏松的形态，以确保人们拥有良好的视野。

家、护理人员、园林历史学家、记者和摄影师这些职业。园林艺术是一门细微精深、惹人喜爱，又宏大丰富、面面俱到的艺术。当从事金融行业或法律行业的人在寻求第二职业时，碰巧接触到园林行业，他们会惊异于这个行业的全面性。园林设计师们都认识到，他们得一直不停地学习和了解更多的植物。即使是新建成的园林，也不可避免地随着植物的生长和死亡，存在衰败的可能。因为，园林既是一门艺术，也是一个过程。

值得一提的是，园林设计者们同时也是销售人员。专业的园林设计师都需要进行商业运作，还要兼顾养家。在19世纪初，胡弗莱·雷普顿就因为在工作中四处奉承讨好而声名狼藉。因此，即使是最不善交际的园林设计师，也要具备销售才能或者展示才能。

许多杰出的园林设计者都是富有天赋的园林业余爱好者，而不是受过专业训练的设计师。比如亨利·霍尔，他设计的斯托海德园被公认为是世界上最具有影响力的景观园林之一；罗斯玛丽·维里，不仅是园林设计界有声望的女士，还是美国巡回演讲的宠儿。她曾是一位乡村女骑士，同时也是一位母亲，当她再也无法轻松骑马时，才转行从事园林设计和写作，她设计的巴恩斯利花园成为世界各地园林设计师的朝圣地。杰出的格特鲁德·杰基尔写下了诸多权威的、关于植物和花园的著作。同时，杰基尔与建筑师埃德温·鲁琴斯一起设计了很多出色的英式园林。她通过细心观察和亲力亲为的实践，才得到了设计这些园林设计时需要用到的知识。

通常，不论设计师是男还是女，都会将园林设计这种艺术表现形式与其他媒介的艺术相结合。有许多画家，比如克劳德·莫奈，在巴黎附近的吉维尼拥有自己的花园；画家莱利亚·卡尔泰妮的花园则建在罗马郊外的宁法；园林设计师妮可·德沃西来自于时尚设计界；苏格兰人伊恩·汉密尔顿·芬利，则是具象诗歌的主要倡导者。有一些园林设计师在多个艺术领域都很出色，比如对于威廉·肯特来说，设计一所房子、一个螺旋形镀金腿的台桌，或是在顶棚上绘制精美的图案，都如同设计园林一样轻松；巴西的罗伯特·布雷·马克思在设计园林的同时，还喜欢雕塑制作、珠宝设计及绘画。

有一些园林设计师通过自己的设计，完美地表达了社会或哲学意境。托马斯·杰弗逊总统在弗吉尼亚州的蒙蒂塞洛庄园中，培育适合在北美地区种植的植物，并让这些植物能有更好的表现。在今天，美国建筑评论家查尔斯·詹克斯设计的园林遍布世界各地，他在园林中使用了蜿蜒的水体，并在旁边布置了精心修剪的草坪。这是园林设计风格向18世纪风格的回溯。但在此时，这样的构思却是对于当今最新的、有关宇宙本质理论的展现和表达。

还有一些园林设计师，比如威廉·安德鲁斯·尼尔斯菲尔德，在园林设计中借鉴了他在服兵役期间学到的测量学和土方工程学的实践知识。布朗和勒诺特尔也运用了这些技能，用以改造尺度巨大的园林地貌，处理巨额的经费支出，并管理大量的施工人员。在勒诺特尔主持的项目中，有一部分建设者是现役的士兵，他们被临时委派参与了路易十四的凡尔赛宫建设。

人们也从各个不同的学科专业合作中成就了园林设计。在英国，埃德温·鲁琴斯和克里斯托弗·布拉德利－霍尔以建筑师的身份成为园林设计师。用威廉·安德鲁斯·尼尔斯菲尔德的话来说，这便是他们在园林设计中使用直线的原因。美国的托马斯·丘奇接受了专业的景观建筑学训练。由此，景观设计终于成为一个公认的专业学科了。

拥有苗圃也是成为园林设计师的途径之一。英格兰的设计师艾伦·布鲁姆，在战后的欧洲，开辟了最具有影响力的、广阔的苗圃，其中培育的几十种植物，成为现在

→妮可·德沃西将她对时尚的看法引入到园艺之中。在这张照片中，她正在监督园丁将一棵当地的柏树修剪成程式化的铅笔形状。严格但不规则的形状、形式化正是她的标志。

园林植物的主流品种，他还在布莱斯汉姆建造了自己的花园。在英国，设计师贝丝·查托在花园里培育了许多不常见的植物，并发现它们在生长方面的需求，从而为它们建了非常棒的苗圃。荷兰的设计师皮特·奥多夫，在成为种植设计师之前是个园丁。但是如今，他和景观建筑师们合作设计了世界上最受欢迎的、卓越的园林景观，例如纽约的高线公园。毫无疑问，对于园丁们来说，他们更关心植物本身，而不是园林中的空间形态，因此，他们更倾向于无拘无束、自然的风格。这正是当前最为流行，也最具影响力的设计理念，同时它也与现今主流的生态保护理念相吻合。

以上这些都是世界上最杰出的园林设计师——他们是植栽者，也是将巧妙想法与几何线条或自然曲线完美结合的热爱者。他们的作品就像杰出画家的画作一样，是完全国际化的。他们跨越了语言的障碍，不仅深深地吸引着居住在附近的人们，同时也呼唤着拥有不同文化背景的、来自世界各地的游客。想想看，尽管罗伯特·布雷·马克思习惯使用艳丽的巴西植物，但是在他第一次来到欧洲时，对于满眼的绿色景观树

↓在芝加哥的千禧公园，由皮特·奥多夫设计的、占地面积2公顷的卢瑞花园，被分成了草地和草原区域。公园中使用了当地的多年生植物，并用巨大的树篱保护着它们。这是在现代环境中的一种复杂的野生再造区域，是城市中的田园。

↑史蒂夫·马蒂诺的园林风格，对于来自温带气候的园林设计师来说，似乎是异国情调，但在索诺兰沙漠，这些植物则是地道的本土植物。马蒂诺创造出一种丰富的沙漠风格，但它看起来却是像你身边熟悉的景色。

木、草地和水景，仍是赞叹不已；还有克里斯托弗·劳埃德，他一直渴望在自己的爱德华时代的玫瑰园里，重新栽种上来自里约的色彩明艳的植物。

　　能够将想象力和决断力融合在一起，当然是出色的园林设计师不可或缺的技能。但是，想要成为非常杰出的园林设计师，最重要的还是设计师本身的才能，"万能"布朗就是这样的佼佼者。他像是拥有特别的魔法，使所设计的每一个场所都具有自己独特的风格。通过各种巧妙的对比（如密集与空旷、建筑和植物、土地与水体、光影及反射、景物的静态和动态、色调的浓烈与清雅，甚至是不同的香味），把多种元素多层次地交融、汇集于这个场地，让它们显得尤为特别。一定是一位非常特别的设计师，才能设计出这样特别的园林作品。

营造意境园林

如果一个中世纪的园林设计师穿越到现在，他一定会震惊于当今园林造景中居然有如此繁多的植物种类，可以被世界上的任何一位园林设计师使用。要想对这种情况作出解释，就要先了解这里的故事——关于英国、西班牙、葡萄牙和荷兰等国，对于未知大陆的殖民统治。基于他们对农业和审美的迫切需求，使得植物品种能够漂洋过海，来到世界各地。葡萄和橙子从古老的东方运到加利福尼亚；玉米和土豆从美洲新大陆运到欧洲；珍贵的杜鹃和牡丹从中国运送到欧洲的园林中；来自澳大利亚的桉树在南非繁茂地生长；香柏从日本来到亚速尔群岛。这个中世纪的园林设计师会发现，现在的世界原来这么小——就像个熔炉一般。

他还会对19世纪西方科学发现的新植物，以及它们在全球范围内传播的速度感到惊讶。那么接下来，人们对于更多新奇事物的渴望，也就不足为奇了。园艺比园林本身更为重要，丰富的植物品种比设计理念更加令人称赞。但是，园艺并不是从一开始就受到人们的重视的。在掀起园艺热潮这样的巨变之前，园林只是运用简单的植物搭配来表达意境和哲学思想的地方。而空间、建筑和装饰才是园林设计中最为重要的元素，花卉植物虽然赏心悦目，却只是用来装点这些意境的。

中国的皇家园林可以追溯到几千年前，造园大师们通过对石头和水的微妙处理来表现神的居所，抑或象征着人生的旅程。日本的净土园林，达到了前所未有的哲学意境，蕴藏着神道教和禅宗的思想，设计师们运用砾石、苔藓、沙粒来营造宁静、永恒的景观氛围，可以让人在其中静心冥想。还有那些精心设计的茶庭院，所有的元素都有着特定的象征意义。

在18世纪，英国的设计师威廉·肯特发起了景观运动。富有的士族和新贵绅士们，都喜欢在他们的乡间别墅周围建造花园，以此炫耀自己所拥有的广阔的自然美景和不凡的品位。他们仅仅运用水景、树木和空旷的绿色草坪，就能在人世间创造出天堂般的美景。比如亨利·霍尔的斯托海德园，就取得了卓越的成就。

随着"景观运动"在欧洲被遏制，"英式园林"却在世界各地悄然兴起。在德国，弗里德里希·弗朗茨在安哈尔特设计的沃利茨公园园林中，完美地将英式园林和启蒙运动的理念相融合。

为了证实他们的自由理念，一些公园的主人以建筑装饰和镌刻铭文的方式，为园林增加了一层古典的意味，其中有许多设计理念是关于政治家退休后回到田园的维吉尔式理想。在经历了漫长的政治生涯之后，第三任美国总统——《独立宣言》的作者托马斯·杰弗逊，在蒙蒂塞洛庄园中倾注了很多的心血。在那里，他科学并系统地试种、培育植物的品种。

不过分地说，19世纪和20世纪更多的是属于园艺植栽者的时代，而不是属于那些希望通过园林表达思想的设计师们。但是，随着园林设计的发展，再次点燃了人们追求意境园林的热情。1973年，罗伊·斯特朗在赫里福德郡建筑了一个园林，它标志着这种对于含蓄暗示和自我表达的回归。这对于园丁出身，追求舒适、宜人自然风格的园艺植栽师来说仍然是一种震撼，甚至可以说是种冒犯。斯特朗取笑道："依赖植物的园艺设计师都是失败的。"在苏格兰，具象诗人伊恩·汉密尔顿·芬利在接近高地荒原树林中的一间农舍旁，建造了一个举世闻名并充满异议的"世外桃源"，他称这是对感官和理智的"一次回击"。这种思潮，再一次让那些园艺植栽师们感到不可思议，他们无法体会到其中所蕴含的风趣和幽默。

在过去的25年里，"概念园林"的观念悄然兴起。这是运用植物构建的、一种临时的艺术装置。它最先出现在法国的肖蒙-卢瓦尔公园内，接着被许多国家争相效仿。其中，效仿得最成功的案例是在加拿大亚历山大·雷福德的国际花园节（位于加拿大魁北克的雷福德公园）。

也许比所有这些发展更值得关注的，是建筑评论家查尔斯·詹克斯所做的草坪和流水的景观。他不仅再一次使用原始的素材，而且在其中呈现了21世纪的宇宙学概念。他摒弃了社会哲学（即使是一些未经证实的科学理论）并最终回归于当前。这才是真正意义上的现代主义。

底图为弗里德里希·弗朗茨设计的安哈尔特-德绍的沃利茨园平面图。

文徵明

山水写意
1470—1559年

15世纪70年代

中国长城最主要的一段建设完成。

米开朗琪罗诞生，他是罗马梵蒂冈西斯廷教堂的雕塑家和绘画家。

阿尔布雷特·丢勒诞生。

奥斯曼人占领了希腊的尤博亚岛。

16世纪50年代

英国女王伊丽莎白一世加冕。

莫斯科圣巴西尔大教堂动工修建。

尚·尼古向法国引进鼻烟。

意大利卡普拉罗拉的法尔内西纳别墅动工修建。

中国古典园林根植于道家、儒家哲学思想，并且对日本和欧洲园林设计的传统产生了深远影响。和其他国家一样，中国统治王朝暴力的改朝换代，以及随之而来的潮流更迭，导致很多园林遭到大规模的破坏。但幸运的是，绘画作品为我们留下了珍贵的画面资料。文徵明不仅是一位技艺高超的造园师，也是一位画家和诗人，通过对他杰出的艺术造诣与造园成就进行了解，我们可以从中领略到中国古典园林的魅力。

文徵明出生于一个官宦家庭，从小就被赋予秉承家业的众望。但出人意料的是，他因在诗歌、书法和绘画三方面拥有超凡的技艺，而被尊为"明四家"之一。文徵明曾参加科举考试却九试不第，不过他所付出的辛苦没有白费，尤其是在书法方面（他有在早餐前练习书法的习惯）。最终，他在友人的推荐下，入京奉职翰林院。56岁时，在书画方面已负盛名、却被同僚排挤的文徵明，早早结束了他的仕途，辞官回到故乡——江苏苏州。

文徵明在艺术领域交友甚广，又勤于钻研苦练，诗歌、绘画、书法无不精通，更重要的是，作为一个真正的学者，这些完全是出于爱好。他19岁就

→这是拙政园的一个月洞门。月洞门具有圆月的形态，安静地邀请你进入令人期待的美景中。它比一扇矩形的门或窗户更不经意，也更加随性。观赏者要跨过这样一道门槛，才能进入那个不同的世界。

开始习画，师从"明四家"之一的沈周，并继承了他的画风，尤其体现在他的花卉绘画作品中。在山水画方面，文徵明超越了他的老师。通过对早期元朝画作，特别是知名佛教画家和书法家赵孟頫作品的深入研究，他的个人风格日渐成熟，并自成一派。

文徵明隐居苏州后，富贵显赫的明代御史王献臣也衣锦还乡，他在苏州大弘寺的原址上挖湖造山，开始建造拙政园。王献臣十分钦佩文徵明的才华，便邀请他一起营造这座园林。

大约在1535年，文徵明创作了《拙政园三十一景图》，每幅画都是拙政园中的一个景点，并配诗一首，这是诗、书、画完美的结合。在1551年，80多岁的文徵明达到了自己的艺术巅峰时期，他又创作了《拙政园八景》，为

↑文徵明的肖像，来自17世纪丝绸上的水墨画。

←文徵明的书法作品。

→文徵明的一幅风景画作品。书法是一门伟大的艺术，连同诗歌和绘画，被称为"三绝"。文徵明以擅长卷轴画而闻名，有花卉、风景等。后来，他转向了卷轴书法。

拙政园留下了清晰的绘画作品，让我们得以一窥它旧时的风貌。

步入晚年时，文徵明的艺术造诣越发精妙。他的作品被人们反复临摹——人们买来他的画作进行收藏或是用来模仿练习，以提高自己的技艺。就像18世纪的英国艺术家，去罗马和佛罗伦萨临摹大师的绘画作品来提升技艺一样。文徵明的许多学生相继成为著名画家。文徵明自己和他的老师沈周一起，被人们尊为吴门画派的领袖，他们尤其擅长绘制长轴式的画卷。

尽管随着时间的推移，拙政园中的格局有所改变，但幸运的是，它从来没有被严重地破坏过。在17世纪早期，拙政园被分割成几处院落，之后又被闲置了一段时间。在清朝顺治（1644—1661年）和康熙（1662—1722年）年间，人们根据当时流行的园林风格对其进行了修复，使拙政园发生了翻天覆地的变化。20世纪中期，拙政园东园又按照原来的风格进行了大规模补建。至此，就像世界上许多知名的老园林一样，拙政园也成为一所混合了不同时期风格的园林。无论文徵明是否还能认出现在的拙政园，他的画作还是能够告诉我们很多关于那个时代的、中国古典园林的风貌，以及造园理想。文徵明画中所描述的并不只是静止不动的安宁景色，它向我们展示了当时生动、真切的生活场景：一墙之隔，便是自己的一方天地，主人沉浸在茅屋饮茶、农舍鸡鸣、倚篱小憩、流水潺潺的世外桃源中。这正是在宦海沉浮了多年的士大夫们追求的理想生活。与退休后回到田园的政治家维吉尔式理想如出一辙，这个概念也影响了18世纪的英式园林。和英

↑文徵明笔下的拙政园，创作于1551年，摘自纽约大都会艺术博物馆收藏的《拙政园八景》，画作中展示了轻盈的建筑结构，以及被修剪过的疏松、通透的树木。

国的风景式园林一样，这里所呈现的不仅仅是花园，还有布置精妙的凉亭、树木、叠石与水景。这些场景，就如同文徵明以细腻的笔墨绘制、渲染的拙政园图景一样。

拙政园这个名字具有不凡的意义。它可以有两种解释，一方面是指官场失意者的园林，另外一方面也可理解为官场中的那些抱朴守拙者的园林，它来自中国的谦辞。相比在官场中艰难的经营政治生涯，有些人宁愿返璞归真，过田园式的生活。

虽然中国古典园林中也有许多建筑物，但总体来说，园林是在极力为人们再现大自然中随意、生动的美景。运用基本元素，如植物、石块和水体，营造出一种"虽由人作，宛自天开"的审美意趣。园林拥有恰到好处的平衡感，而这种巧妙的平衡感并不拒绝你的加入，游览者会感觉自己被邀请进入到这样的美景之中，却不必担心会破坏眼前的这幅完美的画面。中国城市中的园林通常是与居住空间密切结合的，有很大一部分都是有顶棚的建筑物，并且不同空间的景色之间可以相互渗透、相互借用。它们是灵活多变、可动可静的良好交往空间。园林中的各种不同元素，都有着特定的关联和寓意。石块和水体隐喻自然的和谐：阴和阳、动和静、新和旧。个别形状独特的石头，都是被设计者精心挑选出来的，而挑选石头也是一项专业的技能。老树象征着时间的流逝，像老人一样，是值得尊敬的。因此，每一棵树都展示出它自己独特的生长形态——无论是空心的、多枝干的，或是向一边倾斜的，都展现出一派宁静、怡人的景象。在中国古典园林中，山景和人造假山也是很重要的一部分。它们被用来象征五岳（即神灵的居所），以保佑整座园林和它的各位主人。

↓这个长方形的、装饰精美的景框，比月洞门的曲线更耐人寻味。你会不由自主地思考如何走入眼前的这幅画面中，或者如何从越过水面的小桥走到水面的另一边。

很难说，文徵明笔下的拙政园到底有多么真实。但这个疑问却引发人们对另外一个问题的思考：到底是园林影响了绘画，还是绘画影响了园林？欧洲园林景观的形态，便是受到了意大利绘画的影响。但可以肯定的是，文徵明的画作代表了那个时代的园林所追求的意境：精益求精，尽善尽美。

↓寻找和运输这些天然层叠的石头也是一门学问。如在拙政园里见到的这些形状奇异的石头，它们是中国园林中令人印象深刻的、自然景观的缩影。它们被水冲刷而呈现中空、通透的形态，尤其受到中国人的推崇，而在西方人眼中，这些石头是非常怪诞的。

智仁亲王和智忠亲王

对人和植物的精准掌控
1579—1629年
1620—1662年

16世纪70年代	17世纪60年代
弗朗西斯·德雷克爵士登陆加州，宣布女王伊丽莎白一世对美国西岸的主权。 鲁道夫二世成为神圣罗马帝国的皇帝。 帕拉第奥出版了《建筑四书》。 文艺复兴时期的建筑师和艺术史学家乔尔乔·瓦萨里逝世。	凡尔赛宫开工。 位于旧德里红堡的珍珠清真寺竣工。 渡渡鸟濒临灭绝。 发布关于气体压力的玻意尔定律。

谈到日本古典园林，脑海中浮现出的一定是由苔藓、水、枝干弯曲的松树，以及远处的富士山构成的画面。清幽恬静、凝练素雅、有着令人屏息的静谧意味，而这些恰恰是大多数西方园林中少有的特质。一些日本园林特意营造出宁静、代表永恒的静观园林，而更多的则是可以在里面自由行走的园林，如江户时代（1603—1868年）的回游式园林。这类园林，并不是一幅静止的图景，而是由设计师巧妙设计出的、一系列步移景异的、动态的景观画面。现存的最具代表性的回游式园林当属京都的桂离宫，它是由智仁亲王和智忠亲王父子建造的。

故事开始于1586年，在后阳成天皇的弟弟智仁亲王7岁的时候，政治家丰臣秀吉为了稳固自己与皇室的联系便收养了他。但没过几年，秀吉就有了自己的儿子，他们之间的收养关系便中止了。为了补偿智仁亲王，丰臣秀吉赐给他大量的土地，让他独立门户。和其他三个家庭一样，智仁亲王也拥有天皇王位的继承权。

↑ 智仁亲王的肖像，他是桂离宫的创始人。

效忠于日本天皇的皇室贵族们，发现自己日渐成为独揽大权的德川家族（1603—1868年）的傀儡，于是他们开始沉迷于文化和艺术，尤其是造园。在这个时期，日本园林早已经历了好几种风格的演变。如平安时代（794—1185年）的杰出园林，多为充满戏剧性的庭院，庭院的主人一边设宴、游乐，一边欣赏湖边栽种的美丽植物。镰仓时代（1185—1333年）流行的枯山水，受到中国禅宗与佛教文化的影响，更倾向于设计小而精的园林，以石头和精心梳耙过的白沙造景，这一手法已被现在的西方园林借鉴。室町时代（1333—1568年）的园林，受到中国宋代早期的山水画影响，造园风格开始转向静观园林。

在接下来的桃山时代（1568—1603年）盛行茶道：贵族们沿着精心设计的小径穿过庭院，在石灯的引导下来到茶室，沿途他们会停下来洗手，以清净身心。他们会在这里举行茶道仪式，使精神和意识得到提升。随后，在江户时代的回游式园林中，宗教色彩减弱，在审美上更倾向于自然。人们在园中行走的过程和沿途所见的风景，与最终到达园亭或茶室是一样重要的。桂离宫就是这样的回游式庭园。

但影响智仁亲王造园思想的远不止茶庭。600年前，皇室的一位侍女紫式部（973年），写了她的第一部小说——《源氏物语》。这部小说讲述了一个叫源氏的年轻贵族，在宫廷里的生活和爱情故事。这本书被分为多个章回，是紫式部在做侍女期间，为园中贵妇们的消遣而作的，于1021年完成。小说中有大量对花园景观和园林的描写，对当时的日本皇家园林进行了真实描绘。早期的插图版本仍然存在，包括在12世纪制作的《源氏物语》绘卷版，还有一个在12世纪由土佐光起绘制的卷轴版。现今，它已经被拍摄成电影甚至是歌剧。《源氏物语》

↑《源氏物语》的插图，这部小说影响了几代人。

↑从桂离宫的茶室中向外望出去时看到的景致，向人们清晰地展示了为什么如此简单的建筑，却吸引了勒·柯布西耶和现代主义建筑师们的目光。

在智仁亲王的贵族圈子里流传广泛，这是因为故事的背景发生在贵族们拥有无上权力的平安时代，还因为故事的内容都充满了纯粹的浪漫主义。紫式部在小说中描述道："遥远的桂河乡村，月亮高悬，水面清澈而宁静。"

虽然资金有限，但智仁亲王仍痴迷于修建园林。正如《源氏物语》中所描述的一样，他在桂河边找到合适的土地，于1619年建造庭院别墅——桂离宫。这是由智仁亲王亲自设计的园林，从湖边的主体建筑书院开始，环绕水体挖土造山，并修建蜿蜒的小路，使人在山水之间穿梭，可以由远及近地欣赏这些设计精妙、变幻无穷的画面。等到资金充足时，智仁亲王便开始扩建整个项目。1624年，桂离宫成为公认的、拥有日本最美景观的宫殿，到1631年，它被人们奉为圣殿。

1629年，智仁亲王去世，享年50岁，那时他的儿子智忠亲王只有9岁，生活在其他地方，只是偶尔来桂离宫游玩。这时桂离宫已荒废多年，直到智忠亲王与一位富有贵族的女儿结婚后，才决定对这座在桂河边的别墅进行翻新、扩建。智忠亲王在其中增加了更多的茶庭，并设计了一座更新、更大、也更为华丽的别墅，但总体上，还是遵循了父亲原本的设计思路。

↑春天的桂离宫。这条从湖畔到湖心岛的小径引人入胜，可以领略桂离宫的各种风情。

智忠亲王去世后，因为他的后人都过早夭亡，导致桂离宫再一次被荒废。直到家族第七代的兴起，桂离宫才得以修复，而且基本上尊重原貌，未做过多改动。1881年，这个家族终结了。两年后，桂离宫变为皇室的行宫，因此得到了精心的保护，并作为文化珍品实施了高度严格的管理。20世纪80年代，人们开始对桂离宫进行全面的修复，拆除并重建了所有建筑，重建时大部分使用的是原有的木构件。

有人认为桂离宫的园林是小堀远州（1579—1647年）的作品，他是一位封建贵族，同时也是一位精通茶道的大师。传说他曾在京都附近建造了许多园林作品，但是没有证据来证明它的真实性。桂离宫当之无愧是日本回游式园林的典范。步入桂离宫的大门，可以看到园林的主体部分被一棵雕塑般形态优美的松树刻意遮蔽。事实上，在园中的任何一个位置和角度，都难以看到整个园景。一条小径环绕着形态不规则的池塘，岸边随意地种植了倾斜的松树；人们要经过一处卵石滩，再穿过一系列的亭台后，才能抵达别墅；

可以通过小桥登上池塘中的两个小岛。有时，同样的景色会不时地出现在眼前，但它们却是从不同的位置和视角欣赏到的。

行走路径的不同，决定了人们对于桂离宫不一样的感受。走在表面光滑的砾石小路或石板路面时，你可以抬起头一边走一边欣赏风景；途经粗糙、不平的飞石或台阶时，你就不得不低头细细查看脚下，欣赏近在咫尺的各种巧妙细节；狭窄的小径，不适合并肩而行、高谈阔论，却适合一个人独自体验，全神贯注于周围曼妙的景色和细腻、精致的植栽，这一切都将慢慢地呈现于你的眼前。桂离宫为今天的园林设计师们提供了造园经验和方法，即如何通过精妙的设计来引导它的参观者。

↑ 智忠亲王的肖像画。

每处茶庭都各具特色：有地势较高，可以赏月的月波楼，用蓝色方格砖铺地的松琴亭，可以欣赏樱花的赏花阁，还有用圆窗装饰的笑意轩和铺设波形筒瓦屋顶的园林堂。为观赏中秋圆月的倒影，特地在别墅临水的地方向水面伸出一个平台，这是从《源氏物语》中汲取的灵感。桂离宫的主体建筑由古书院、中书院和新御殿三部分组成，无论是室内还是室外，都是极简主义美学的奇迹。质朴而精美的建筑群适合从远处欣赏，与水面相映成趣。这种极致简朴的建筑风格和模块化的设计，吸引了20世纪欧洲现代主义建筑师沃尔特·格罗皮乌斯和勒·柯布西耶的注意，他们发现桂离宫与他们所推崇的去装饰化的、现代极简风格的设计理念不谋而合。桂离宫在经历了20世纪80年代的修复之后，与现代主义建筑风格的相似与联结更为明确了。桂离宫清晰的古典风格，让忙于现代生活的人们对已经逝去的黄金时代充满了怀念和向往。桂离宫保留着流传了600年之久的经典画面，给人一种时间静止的感觉。

威廉·肯特

自然风景式园林的先导者
1685—1748年

1685年
英国国王查理二世逝世。
《弥赛亚》作曲者乔治·弗里德里希·亨德尔出生。
意大利作曲家多梅尼科·斯卡拉蒂出生。
路易十四批准在法国殖民地贩卖奴隶。

1748年
庞贝古城的遗址被阿尔卡发掘。
哲学家及社会改革家杰里米·边沁出生于伦敦。
法国画家雅克·路易斯大卫诞生。
自由市场经济学家亚当·斯密在爱丁堡演讲。

人们普遍认为，英国18世纪的"自然风景式园林"是非常出色的创造，充满神话般的、世外桃源的宁静。然而，当人们看到威廉·肯特的作品时，这个传统印象瞬间就消失了，因为肯特是一位热情洋溢的景观运动先导者。霍勒斯·沃波尔曾这样评价肯特，"他发现越过绿篱的所有自然界都是庭园"，而且他确实成功越过去了。

肯特多才多艺，涉足多个艺术领域——从绘画、建筑，到家具和礼服的设计，而园林仅仅是他工作的一部分。他喜爱奢华和那些闪耀着白色和金色光芒的、富丽堂皇的设计，甚至他还建议一些豪宅的主人，为他们的窗框镀金。他体态较胖、出手阔绰、风趣幽默、充满了魅力，更不用说他在作品中体现的出色能力。同时他也和兰斯洛特·布朗（详见148页）一样，是个野心家。从一个聪明的（可能还患有失读症）小镇男孩，凭借自己过人的天赋，得到了政治背景各异的赞助者的支持，成为一个富有并令人尊敬的人。

肯特出生在英国约克郡的海边，是个木匠的儿子。他在上学期间表现出的绘画天赋得到了人们的认可，在离开学校前往伦敦时，校长将他引荐给一些在伦敦有影响力的朋友。肯特发展得非常顺利，先是以肖像画家的身份很快地引起了古董商兼收藏家约翰·塔尔曼的注意，他将24岁的肯特带到了意大利。肯特在意大利工作了9年，他的大部分时间都待在罗马临摹名画，偶尔也会充当英格兰艺术品收藏者的顾问和交易商。肯特善于寻找资助者，并具有商业才能和开拓精神，这些都令他拥有足够的资本，可以随心所欲地在意大利各处旅行，以提升自己的艺术修养。在此期间，他遇到了英国的贵族——托马斯·库克，即莱斯特伯爵。在此之后，肯特为他和理查德·伯伊尔（即伯灵顿勋爵）工作。作为托马斯·库克的门徒，肯特的事业发展得十分迅速。

受到洛可可艺术风潮的影响，肯特回到伦敦，开始了他的画家生涯。随后，艺术风潮的推动和振兴者伯灵顿勋爵，让肯特设计位于奇斯维克的别墅（新帕拉迪奥式）的室内及外部园林。查尔斯·布里奇曼曾经参与过该项目的设计，他是肯特在园林设计方面的前辈，他以军事化的方式处理运河、土方工程和林区荒地，虽然尺度巨大，但并不是自然风格。

由于伯灵顿勋爵奇斯维克别墅项目的成功，肯特接到了国王乔治一世的委托，负责绘制肯辛顿宫顶棚上的壁画。在此之后，令人羡慕的公共项目接踵而至，使肯特成为一个富有的人。肯特一生未婚，但是与一位情人维持了长久的关系，并育有两个孩子。

卡罗琳公主（1727年成为乔治二世的王后）委托肯特负责泰晤士河畔的里士满宫的园林设计，这使得他名声大噪。人们蜂拥而至，只为参观肯特的赫米蒂奇和梅林洞穴。这两处建筑都隐含着智慧及象征意义，并多次举办奢华的聚会。1732年，他还设计了皇家游艇，以及在威斯敏斯特大教堂的墓地纪念碑。他设计的财政部大楼和骑兵楼，至今仍然矗立在白厅的中心位置。

↑威廉·肯特的画像《手拿画笔》，由威廉·艾克曼绘制（1723—1725年）。

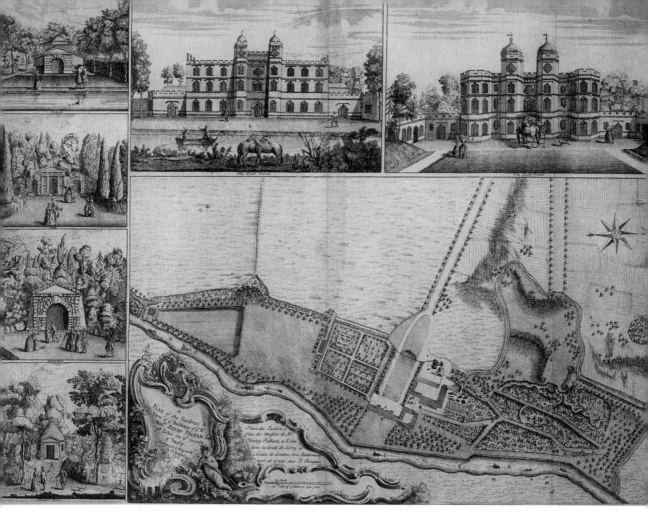

↑园林平面图及为亨利·佩勒姆的爱夏园完成的一系列建筑表现图。每一处林荫大道都将视线引向古典建筑，并邀请你进入建筑内部，充满了神秘感。高大的柏树让人想起肯特所钟爱的意大利风景。

英国乡村房屋建设的委托源源不断，尤其是在诺福克的霍顿。肯特为长期担任英国首相的罗伯特·沃尔波尔爵士设计了别墅，肯特在室内设计中所展现的奢华，堪比他曾经设计的皇家宫殿。在为亨利·佩勒姆在萨里郡设计的爱夏园中，肯特设计了哥特风格的建筑，这完全背离了他原先的风格和当时盛行的古典主义——帕拉第奥风格。这可能是肯特第一次完全涉足园林设计，一系列引人注目的建筑和由视野开阔的空地、树木形成的自然式园林景观，完全不像布里奇曼时期的、戏剧化的街区和大道的设计风格。

肯特最著名的园林作品，是为科巴姆勋爵在白金汉郡设计的爱丽舍菲尔德庄园，这是经典的肯特式园林。精心布置的水体、林木的组合，还有在河对岸并立着的古德神庙和英国名人堂（包括科巴姆勋爵推崇的英雄半身像，从莎士比亚到伊丽莎白女王一世，还有艾萨克·牛顿爵士）。在这个园林中

上图　斯陀园的穹顶建筑（1720—1721年），由约翰·范布勒设计。它为美第奇的维纳斯
雕像提供庇护，并按肯特式的喜好镀上金色。

下图　肯特的画作，他正在奇斯维克别墅前面的花园中与伯灵顿勋爵聊天。

体现了坚定的政治主题，展现了科巴姆的立场，也阐明了18世纪的英国，是继罗马帝国时代之后新的奥古斯都时代。在斯陀园的项目期间，年轻的兰斯洛特·布朗成为首席园林师。从他跟随肯特学习开始，逐渐在园林设计方面形成了自己的设计理念。

　　肯特在布里奇曼设计的地形上修建的维纳斯神庙，不像爱丽舍菲尔德庄园那样广为人知，但却是更令人称奇的作品，性暗示的挑逗场景在这里被展示出来。这是一种游戏，肯特和科巴姆勋爵及那些经常到访的、熟悉这些规则和关联的人，会一起玩这种游戏。总体说来，肯特是个游戏爱好者，他经常会在非正式的场合，把认识的人的头像画在草图上。肯特在意大利游历时结识了即莱斯特伯爵。伯爵邀请肯特为自己在英国诺福克的家——霍尔汉姆宫进行改造。肯特负责园林设计，并扩建了别墅的两翼，还在英国创造出奢华至极的、意大利风格的室内陈设，尤其是铺满了罗马大理石的大厅。在室

↓肯特的英国名人堂，位于斯陀园的爱丽舍菲尔德庄园。它包括科巴姆勋爵的那些辉格派及自由主义英雄的半身像，如亚历山大·蒲柏、艾萨克·牛顿、沃尔特·拉雷、伊丽莎白一世、伊尼哥·琼斯和莎士比亚等。

↑阿波罗神像矗立在一条长长的、蜿蜒曲折的道路（如今被树荫笼罩）的尽头。它背对着罗夏姆园，俯视着查韦尔河，好似远眺地平线的守望者。

外，肯特在诺福克特有的开阔、平坦地形上，建造了巨大的神庙和方尖碑。

  1738年，肯特开始了牛津罗夏姆园的设计工作。该园面积虽然小，但却是18世纪初最为精致的自然风景园林。肯特在此尽情施展他的"魔力"，并证明在他的眼中整个世界就是一座园林。在布里奇曼设计的基础上，肯特柔化了蜿蜒的河道，无论是摇曳的水草还是哥特式的水磨坊，都充满了维吉尔式的田园风格。在园林中，一系列艺术作品通过古典元素的暗示，表达了作者对于生命的探讨。比如在维纳斯谷，用瀑布和15.25米高的喷泉、闪亮的男性裸体雕像，诠释了生命的欢乐；而垂死的角斗士，则让人联想到肯特身患绝症的客户詹姆斯·多默先生，他也是与肯特相识多年的伯灵顿勋爵的朋友。精美的座椅是为了重要的观景点而建的，长长的拱廊为人们提供了一个欣赏自然风光的画廊，让人联想到斯陀园的英国名人堂（也被称为"普里埃斯特"）。罗夏姆园得到完好的保护，基本上没有改变，虽然也有传言称园中的一些雕像被盗，这让罗夏姆园原有的信息变得模糊，尤其是那些蕴含着经典寓意的雕像的缺失。但是，罗夏姆园中迷人的蜿蜒小溪，沿着曲折的林地小径涓涓流淌，这仍然是18世纪园林中最经典的景观。1748年，63岁的肯特在伯灵顿勋爵的住宅中逝世，被葬于奇斯维克的伯灵顿家族墓地。

亨利·霍尔的彩色肖像，摘自《伟大者》（作者未知）。

亨利·霍尔

斯托海德园和克劳德田园风景诗

1705—1785年

1705年

"万能"布朗开始牛津布伦海姆宫的园林设计工作。

由布伦海姆宫的建筑设计师约翰范布勒创作的戏剧《错误》在伦敦上演。

亨德尔的歌剧《阿尔米拉》首映。

哈雷预测哈雷彗星将于1758年回归。

1785年

开启煤气照明的新时代。

莫扎特完成第二十和第二十一钢琴协奏曲。

贾科莫·卡萨诺瓦担任波西米亚的图书馆管理员。

亨利·霍尔因一个园林而广为人知，这是怎样的一个园林呢？斯托海德园位于威尔特郡，它是世界上著名的园林景观之一。令人惊讶的是，在过去的250年中，斯托海德园的改变微乎其微，最多只是装饰性的改变，而非结构上的。霍尔的后继者，用色彩鲜艳的树木和灌木装点他的园林，亨利·霍尔对此可能并不认同。因为他更喜欢由深浅不同的绿色所产生的、层次上的微妙对比。但是他应该感到满意和欣慰的是斯托海德园所具有的美丽景色，受到了公众的认可，至今仍令人印象深刻。即使是在亨利·霍尔所处的年代，园林也是要被观赏的，总会有对潮流感兴趣的人或有钱的旅行者慕名而来，观赏探寻园林里的文化意趣和美妙景色。有些人是出于好奇心，有些人则是因为自己也想要造园。园主不在时，通常会由园艺师充当导游。也正是这样的引领，才能使参观者按照正确的观赏线路，更好地欣赏斯托海德园如叙事诗般展开的美丽风景，并领会不同景点所蕴含的象征意义。

斯托海德园充满了希望和悲伤，当然，"希望"是亨利·霍尔拥有的最宝贵的资源和财富。他的祖父理查德是伦敦著名的金匠，也是一家私人银行的创始人，即现在的英国霍尔银行。亨利的父亲（名字也是亨利）继承了产业，并因1719年的"南海泡沫事件"赚取了大笔资金。对于他来说，这似乎是一个非常合适的时机，于是他从斯托顿勋爵处买下了斯托山谷的土地，雇用新帕拉第奥风格的建筑师科伦·坎贝尔设计别墅，并将其命名为斯托海德园。

afftchnad 1779.
J.F. Piper

亨利·霍尔的父亲于1725年去世，当时亨利·霍尔才19岁，刚从欧洲游历归来，突然发现自己成了宏伟的庄园和新完工豪宅的主人，同时还是一家盈利良好的伦敦银行的合伙人。他在1726年结婚，但他的妻子在一年后去世，留下的一个女儿也很快夭折了。1728年，他娶了第二任妻子苏珊·柯尔特，并生了五个孩子。其中一个女儿安娜和她的堂兄弟理查德·霍尔结婚，在她去世之前，生下了一个儿子理查德·柯尔特·霍尔，也就是亨利·霍尔的外孙，他在亨利·霍尔死后（1785年）继承了斯托海德园。

←1779年的斯托海德园平面图。由瑞典人弗雷德里克·马格纳斯·派珀创作。

↑1777年斯托海德园的经典画面。就像所有的斯托海德园的风景画一样，从水面远眺船屋、帕拉迪奥桥、教堂和村庄，同时还可以欣赏其在倒影中的景色。

　　亨利·霍尔第二次结婚时（他曾在索尔兹伯里市议会担任了一段时间的议员），住在威尔伯里路别墅，这是位于威尔特郡的一座帕拉第奥式建筑。在此期间，他认真学习绘画、出国游历，并开始收藏艺术作品。1741年，在母亲去世后，他终于搬进了斯托海德园，但直到1743年他的第二任妻子去世后，亨利·霍尔才将注意力转向了园林设计。他雇用了50名园丁，将斯托海德园改造成古典式园林，创作灵感来源于画家的作品，如克洛德·洛兰、尼古拉·普桑和加斯帕·杜埃等人，当然也借此机会展示了他对于希腊罗马文明的认识，这是启蒙运动与政治自由精神的产物。

　　像弗里德里希·弗朗茨（详见42页）设计的沃利茨园一样，斯托海德园也是以水景为中心的。亨利·霍尔花了大量资金，将流经斯托海德园的一条小河截流，在园内形成一个由小路环绕、向三个方向延伸、面积达12公顷的湖泊。经过别墅前的一片开阔草地，再穿过一片冷杉林，然后走过一座狭长、危险的木桥（后来改成了轮渡），才能跨越湖面的一翼。现在由于停车的需要，改变了游览路线的起始点位置。

亨利·霍尔极具想象力的景观设计，反映了罗马诗人维吉尔的史诗——《埃涅伊德》中的情节，尤其是《不可航行的湖》中的英雄埃涅阿斯沉入地狱石穴的片段。通过设计师精心设置的建筑布景，表现出这些戏剧性的场景。近距离观赏时，视觉效果引人入胜；而隔湖相望，却能得到更棒的体验。因为光、影、冷、热等元素都被充分地运用，成为景观设计的一部分，使人们尽可能地得到全面的感官体验。

这条线路始于一座建于湖岸阴凉处的石窟。在洞穴中阴暗潮湿、布满苔藓的基座上，矗立着约翰·切雷雕刻的自然女神和河神的雕像，周围还有滴答的水声。这里是欣赏湖对岸佛罗拉女神庙（1745年）的最佳地点。神庙是根据普林尼在信中所描述的意大利斯普洛托神庙而创作的，暗指河神克里图姆纳斯，由建筑设计师亨利·弗利特卡夫特进行设计（他在斯托海德园为霍尔工作，同时也在伦敦工作）。越过有五个圆拱的帕拉迪奥桥，可以看到远

↓由弗朗西斯·尼科尔森创作的石窟或洞穴的室内水彩画。洞穴中放置了沉睡的仙女雕塑（右）和河神雕塑（左），光线来自顶部的天窗和面对湖面的窗户。

处的别墅、教堂和村庄。

离开阴暗的石窟，沿坡地缓缓向上，在穿过一片树林后，便可以看到沐浴在阳光下的万神殿（1753年）。它是斯托海德园中最宏伟的建筑，也是由弗利特卡夫特设计的（霍尔的叔叔于1750年逝世，使亨利·霍尔成为银行的合伙人，并有经费建设他的园林）。这是一座有着巨大穹顶的建筑，是献给大力神赫尔克里斯的神殿，里面摆放着约翰·雷斯布莱克在1776年雕刻的赫尔克里斯雕像。万神殿坐落在一个绿草茵茵的小山丘上，从湖对岸的小村庄中可以一览壮丽、雄伟的景色——这就是典型的田园式景观，同时也使人想起克劳德的画作《埃涅阿斯在提洛岛的风景》（1672年）中的场景。

环湖前行，眼前又出现一座重要的纪念建筑——阿波罗神庙（1765年），它坐落在高高的基座上，为太阳神而建。原型为黎巴嫩巴贝克的维纳斯神庙（几年前在罗伯特·伍德的《巴勒贝克的废墟》中有过详细描述，这本书藏于霍尔的图书馆）。随着这三座寺庙和埃及方尖碑的建成，斯托海德园就基本上完成了，但霍尔又做了进一步的扩建。其中最主要的建筑就是整个庄园的视觉中心阿尔弗雷德塔（由弗利特卡夫特设计的一座49米高的砖塔），以此纪念阿尔弗雷德国王在公元879年击败丹麦人，结束了与法国历时7年的战争，以及庆祝国王乔治三世的继位。尽管在1944年，塔的顶部遭到一架飞机的撞击，造成五名机组人员死亡，但是阿尔弗雷德塔至今依然屹立在那里。其他的扩建还包括一座修道院、一个中式壁龛、威尼斯人的座椅和一个土耳其帐篷，这与当时查尔斯·汉密尔顿在萨里的潘恩舍尔园林中的设计手法非常相似。

与此同时，霍尔的外孙理查德正在接受培训，准备进入家族企业工作。在1783年，理查德与海丝特·勒顿结婚，但勒顿在1785年去世了，一个月后，亨利·霍尔也去世了。理查德继承了斯托海德园，但是继承它的代价是要离开家族银行，并将精力专注于管理斯托海德园。从此理查德与动荡的商业命运分离，获得了安宁的生活。和他的祖父一样，理查德是一位热心的古董收藏家，并热衷于探索古迹。他花了4年的时间游历欧洲，为他日后写书积累了很多草图和文字素材。

回到英国后，理查德拆除了部分由他外祖父增建的、过于荒诞的项目，比如土耳其帐篷。为了让园林保持更加古典的面貌，他又增建了一座船屋和希腊式的农舍（由伦敦国家美术馆的建筑师威廉·威尔金斯设计）。也许

↑从村庄远眺到穿过帕拉迪奥桥到万神殿的经典景色。它可能是英国风景园林中最著名、也最广为流传的画面了。

更加显著的变化是理查德收集并种植了很多充满异国情调的、色彩丰富的树木、灌木和花卉，如北美鹅掌楸、落羽杉和紫色的杜鹃花。因为对斯托海德园的这些改造，理查德当选为林奈学会的会员。在接下来的19世纪晚期和20世纪早期，他又增加了更多的异域植物，如美国高大的针叶树、紫叶山毛榉，还有小株的开花树种和灌木，包括紫色的枫树和鲜艳的杜鹃花等。

因为在第一次世界大战中失去了继承人，所以霍尔家族的最后一位亨利·霍尔，在1946年把斯托海德园交给了国家名胜古迹信托组织。这个组织对斯托海德园进行了大规模整修，园林顾问格拉汉姆·斯图亚特·托马斯（详见244页）负责调整园内夸张的色彩，并且修剪遮挡视线的杜鹃花丛。今天，从村庄遥望万神殿的这一经典画面，已经闻名全世界。无论是在学术期刊上，还是在饼干盒上，随处可见它的身影。如果人们没有见过亨利·霍尔曾经追求的、柔和绿色调的园林，可能依然会钟爱他们眼前所见的、这色彩绚丽的景色。

弗里德里希·弗朗茨

实践启蒙思想的统治者和富有激情的园林师
1740—1817年

1740年
英国钢铁产量达到17 000吨/年。
发明可以切割时钟指针的设备。

1817年
卡尔·德莱斯在德国曼海姆发明了脚踏车。
密西西比州成为美国的第20个州。
英国小说家简·奥斯汀逝世。
英国植物学家约瑟夫·道尔顿·胡克诞生。

利奥欧波三世亲王安哈尔特－德绍侯爵弗里德里希·弗朗茨是启蒙运动中的领导者。他勇敢而有修养，开明并充满智慧，富有创造力且游历经验丰富。幸运的是，他从非常年轻的时候，就对园林设计充满了热情。尽管受到世界大战的影响和共产主义者的忽视，他的作品还是在2000年当选为世界文化自然遗产。

安哈尔特－德绍是德国境内一个很小的公国，以德绍（之后成为包豪斯的故乡）为中心，包括了46个更小的州，由弗朗茨家族创建（这个精通艺术和军事的家族，曾经赞助过伟大的作曲家约翰·塞巴斯蒂安·巴赫）。这个小小的公国坐落在埃尔贝河边——这条河常常泛滥，严重威胁到肥沃的平原。因此，他们修建了堤坝来保护农田经济。

弗朗茨在孩童时期就体验了军旅生活，他在16岁时加入普鲁士军队，在著名的七年战争中对抗撒克逊人。父母去世后，弗朗茨一直在叔叔的监护下直至成年。但1年后，弗朗茨向国王请求荣誉退役，使自己可以返回家乡管理700平方公里的土地和他的3万名臣民。此时，这个男孩已经胸有成竹。

弗朗茨一生的挚友，威廉·冯·德曼斯多夫男爵，是与他志趣相投的合作者，他曾以画家的身份长居意大利多年，最终定居在德绍。弗朗茨23岁的时候，他们俩开始了一次环欧旅行，游览了荷兰和英国。他们怀着要在德绍郊区的沃利茨建造一座新的宫殿和园林的想法，去那里学习、研究伊尼哥·

琼斯设计的建筑和大量的英国风景式园林，如斯托海德园和斯陀园，以及亚历山大·蒲柏建于特威克南别墅的小花园。作为荷兰奥瑞治家族的后裔，弗朗茨受到了所有人的欢迎，其中包括英国国王威廉三世。当时，英国工业化发展迅速，弗朗茨十分欣赏这些奇迹般的进步。对于对启蒙思想抱有强烈信念的弗朗茨来说，英格兰清晰地向他展示了如何将美和实用性相结合，使生活变得更加美好，也让他更加坚定了要将他的故乡德绍建设好的决心。

接下来，他们又去了法国和瑞士，并再一次到访英国。1764年，他和德曼斯多夫前往意大利，成为威廉·汉密尔顿爵士的朋友（他是英国驻那不勒斯的大使兼艺术收藏家），他们本着科学探索的精神一起登上了维苏威火山。1767年，弗朗茨娶了自己的表妹，即路易斯·勃兰登堡－施韦特。接下来在1769年，他便开始着手建设自己的新别墅和沃利茨园林王国，并雇用了建筑师德曼斯多夫来完成设计。沃利茨园林王国是一个世界进步的象征，它结合了社会与艺术，从两个方面进行提高和改善。受英国

帕拉第奥式建筑的启发，园内新建的别墅成为德国第一个新古典主义的建筑。别墅的室内装修花费了几年的时间，在此期间，德曼斯多夫曾多次到意大利收集绘画和雕塑作品。就像英国的乡村建筑一样，这里也是一处悠闲的避世之所，政府日常公务中心仍然在德绍的宫殿城堡内。

↑ 安哈尔特－德绍侯爵弗里德里希·弗朗茨的肖像，由安东·冯·马伦绘制。

↑1789—1791年德绍-沃利茨园林王国的平面图。以有很多分支的湖面为中心，如果把它与第36~37页的斯托海德园平面图中所显示的核心湖面进行对比，会非常有趣。

　　英国的许多风景园林，都把重点集中在建筑前的绿色草坪上，四周环绕着树木，也许还有一条小河流经草地。而在沃利茨园林王国，弗朗茨将水景作为开放空间的中心，就像亨利·霍尔在斯托海德园中所做的一样。湖面有几个延伸到不同方向的分支，通过多条小路和30座桥梁连接、沟通。湖的边界就是防洪的堤坝，站在上面可以俯瞰维吉尔式田园的美景。这是一个四周没有围墙、自由开放的园林景观，风格各异的神庙在不同的画面中出现。

　　园中的所有岛都是为了纪念法国启蒙思想家让-雅克·卢梭而建。另外，还有一座依据维苏威火山形状创建的、17米高的山坡——一座寺庙隐于地下，山坡上还有一个巨大的露天剧场和一座精致的室外建筑，即汉密尔顿别墅。在举行盛大的户外活动时，火山甚至会喷出烟雾，还可以欣赏被烟火照亮的水面。园主的别墅，变成了戏剧化的哥特风格作品。最终，弗朗茨在这样一个隐逸、避世之处，拥有了自己的世外桃源。在那里，他扩建图书馆并扩大了画作收藏，还在这里与园主的女儿，即他的情人共度时光。他的妻子路易斯也有了自己的"桃花源"——由弗朗茨和德曼斯多夫设计的路易斯园，这是一座建于小巧花园里的精美别墅。

另外，弗朗茨还将安哈尔特–德绍旧时存在的宫殿和园林也纳入到他庞大的改造计划中。荷兰风格的奥拉宁巴姆园被改造成中式园林，它的灵感源于英国作家威廉·钱伯斯在1757年出版的《中国建筑、家具、服饰、机械和器皿设计》这本著作。钱伯斯在1762年为英国皇家植物园设计的塔，与弗朗茨在奥拉宁巴姆园建造的塔相似。弗朗茨对于臣民的善举，还表现在许多方面：他使得安哈尔特–德绍以宗教宽容而著称；沃利茨园有座寺庙，实际上就是为犹太社区建造的犹太教堂；他还将他的园林负责人派往英国接受培训，并改进了教育系统和公共卫生系统；他向意大利园林学习，在道路两旁

↓模仿维苏威火山爆发的烟花夜景。将隐藏在"火山"中的储藏罐里的水释放出来，并用彩色的光照亮它，以此做出熔岩流动的效果。而制造烟雾效果的方法则比较容易。

↑沃利茨园的犹太会堂，附近有教堂和小镇。旨在展示公国的文化启蒙思想；公国15%的人口是犹太人，其中有130人居住在这里。

种植果树和高大的杨树，并通过实验，调整了当地的牲畜和果树品种。

　　所有这一切，都在一个公国内实现了。当弗朗茨接手安哈尔特－德绍的时候，它刚刚经历了七年战争，整体面貌和经济都遭到严重破坏。他抱着乐观的态度，追求尽善尽美，而且积极地进行现代化改建。修建铁路、创立利润丰厚的钾盐矿、建立了容克工程公司——正是这个企业，后来为德国制造了飞机。

托马斯·杰弗逊

总统和科学种植先驱
1743—1826年

1743年
英国植物学家和博物学家约瑟·班克斯爵士诞生。
法国物理学家让·皮埃尔·克里斯汀，发表了他的水银摄氏温度计设计，能测量水从冰点到沸点的温度变化。
亨德尔的《弥赛亚》在伦敦首演。

19世纪20年代
法国费加罗报创刊。
新加坡的缔造者斯坦福·莱佛士逝世。
约翰·索恩爵士设计的英国银行在伦敦完工。
弗朗兹·舒伯特创作完成《第九交响曲》。

托马斯·杰弗逊是美国的第三任总统，是美国《独立宣言》的主要作者，也是美国园艺学的专家。他不仅是一位政治家，也是农场主、律师、发明家、建筑师、音乐家、植物学家、语言学家、藏书家、美食家、哲学家和科学家，他是受启蒙思想影响、集诸多领域知识于一身的全面人才。他的蒙蒂塞洛庄园靠近弗吉尼亚州的夏洛茨维尔，对美国园林的发展产生了非常重要的影响。如今经过修缮后，依然焕发着光彩。

有几个方面使蒙蒂塞洛庄园有别于当时的其他园林。首先，庄园如植物园一般有着丰富的植物品种，都是杰弗逊在游历时采集的。不仅如此，庄园的风格根植于英国的风景式园林，这是依据杰弗逊在游历欧洲时的见闻所设计的。并且，庄园环绕着一座山顶上的新别墅，它不仅拥有新奇的植物，更是将广袤的风景尽收眼底。虽然杰弗逊在学生时代受到了威廉玛丽学院里传统园林设计风格的影响（当时流行法国和荷兰式的正统风格，植物的形态都是经过刻意修剪和雕琢的），但是，庄园却是一个有着蜿蜒步道、疏密有致的自然主义风格的非传统园林。

↑杰弗逊的肖像画，由林布兰特·皮尔绘制（1800年）。

↑1825年，站在西边欣赏蒙蒂塞洛庄园的景色。建筑和园林结合了杰弗逊重视农业的观念和新古典主义的风格。

　　杰弗逊的父亲是弗吉尼亚州成功的种植园主和检验官，他去世时留给14岁的杰弗逊2025公顷的土地和很多奴隶，杰弗逊在21岁时继承了这些遗产。1762年，杰弗逊从威廉斯堡大学毕业，随后娶了富有的寡妇玛莎·韦尔斯·斯克尔顿，她带来了更多的土地和奴隶。他们先后养育了六个孩子，但是大部分都不幸夭折了。他们结婚几周后，离开了里士满附近的沙德韦尔别墅，搬到蒙蒂塞洛庄园。这是由杰弗逊自己设计的新别墅，坐落于当时还未完工的场地中。

　　26岁时，杰弗逊作为一名弗吉尼亚州众议院议员，开始了他的政治生涯。1775年，在美国独立战争爆发之时，他是第二届大陆会议的成员，还是约翰·亚当斯的朋友和盟友。后者继乔治·华盛顿之后，成为美国总统。亚当斯请杰弗逊领导五人委员会，负责《独立宣言》的撰写工作——由杰弗逊亲自起草，经过国会的调整审定后，最终获准通过。杰弗逊在担任弗吉尼亚州州长两年后，作为贸易专员被派往巴黎，随后接替本杰明·富兰克林担任美国驻法国大使。他在法国任职的5年中，专注于吸收欧洲的文化、园林和建筑理念，学会欣赏法国的一切，这时他的祖国刚从英国的殖民统治中摆脱出来。在1786年，杰弗逊和他的老朋友，时任美国大使的约翰·亚当斯，对伦敦进行了短期访问，参观了布莱尼姆宫和斯陀园。1789年，就在杰弗逊从法国回国后不久，法国大革命爆发了。

杰弗逊回到美国后，新当选的总统华盛顿任命他为国务卿，他担任这一职务直至1793年退休。退休后的杰弗逊回到蒙蒂塞洛庄园，开始雇用技能熟练的奴隶重新修缮蒙蒂塞洛庄园，园林设计风格根据帕拉第奥《建筑四书》中的理论，转而追随古罗马风格。1796年，杰弗逊作为约翰·亚当斯的副总统，又重返政坛。从1801—1809年，杰弗逊担任美国总统，居住在华盛顿特区的新国会大厦中。他在任职期间有诸多政绩：1803年，从拿破仑手里成功购买路易斯安那，使美国领土近乎增加了一倍；带着自己内心的渴望，杰弗逊派出了远征队，由刘易斯和克拉克带领，去探索西太平洋的土地，申明了美国对这些未知领土的所有权，这是美国在地理、科学和政治方面都意义重大的远行。最令杰弗逊满意的，是此次远征为蒙蒂塞洛庄园引进了很多植物品种。为这次远征做准备工作时，杰弗逊还派刘易斯专程征询植物学家和医学家本杰明·史密斯·巴顿的意见。巴顿之前曾经以杰弗逊的名字命名了一种野生的小花，称其为杰弗逊尼亚。

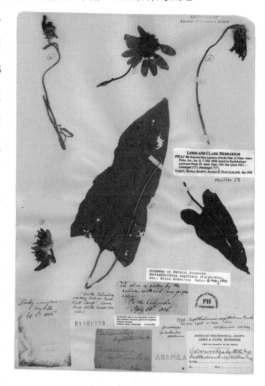

1809年，杰弗逊离开政坛，以政界元老的身份，在蒙蒂塞洛庄园度过了他人生的最后17年。在修整园林和别墅的同时，他还为弗吉尼亚大学做了主建筑的设计和校园规划。虽然杰弗逊是基督教徒，但是他向来崇尚自由和独立（他对待奴隶制的态度是复杂的，一方面支持解放奴隶，尤其在他年轻的时候；另一方面，作为拥有众多奴隶的农场主，他又很难接受解放奴隶的善

↑这是一种来自于刘易斯和克拉克探险队压制过的标本。探险结束后，刘易斯把植物送给了托马斯·杰弗逊，后来由本杰明·史密斯·巴顿将其制作成标本。

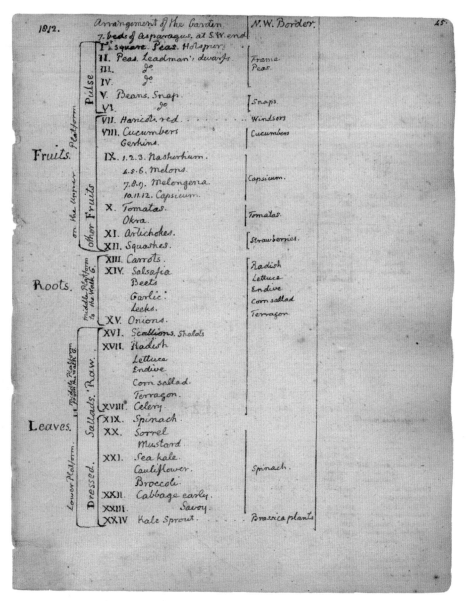

↑这是1812年，杰弗逊园林笔记中的一页。该笔记列出了园中农作物的名称和它们的种植方案，他坚持用这种方式记录了很多年。

行）。杰弗逊于1826年7月4日逝世，享年83岁。这一天，也是《独立宣言》发布五十周年的纪念日。债务一直困扰着他，房产被卖掉后，他珍藏的植物也随之散去。

蒙蒂塞洛庄园的结构非常简单：围绕着有高大穹顶的帕拉第奥式别墅，有一个椭圆形的草坪，周边环绕着步道，两侧布置了椭圆形的花坛，种植着杰弗逊珍藏的各种树种。杰弗逊基本上是素食主义者，园中的斜坡就是他的梯田菜园。它就像一个实验室，种植着品种众多的农作物，并且杰弗逊还会评估它们在美国气候下的种植价值和生存能力。他还有一个果园，其中种植了170个品种的果树。在树荫的围绕下，他营造出曾在英国的风景式园林里所见到的景致。他还收集了数目可观的花卉、蔬菜、灌木、果树、林木，品种繁多而且不断更新，既有科学上未知的新品种，也有通过他收集的、由园艺师们精心培育的变种植物，有些植物甚至来自欧洲。

　　直到20世纪末，蒙蒂塞洛庄园才得以修复，修复时参照了杰弗逊的自传、书信，以及他作为私人日记的园林笔记——这里面精确记录了所有植物的种植细节，比如种植时间、气候、期间的成功和失败案例。至此，蒙蒂塞洛庄园又恢复了昔日的卓越风采。

↓蒙蒂塞洛庄园的航拍图，显示了水果和蔬菜的种植布局。修复前的椭圆形草坪和林地，现在变成了围绕建筑的树林，种植的植物可能比花园的全盛时期更加繁茂、紧密。

伊恩·汉密尔顿·芬利

诗人、艺术家和文艺造园师
1925—2006年

1925年
"装饰艺术与现代工业"主题的世博会，在巴黎举行。
希特勒出版《我的奋斗》第一卷。
克莱斯勒汽车公司成立。
弗·司各特·菲茨杰拉德出版《了不起的盖茨比》。

2006年
人类发射首个冥王星探测器。
推特网成立。
人类基因组计划发布了最后一条染色体序列。
伊拉克前总统萨达姆·侯赛因被处决。

作为一名具有影响力的诗人、作家和艺术家，伊恩·汉密尔顿·芬利的文学作品广为人知，而他位于南爱丁堡彭特兰丘陵的斯通派斯园林更是被许多人铭记。斯通派斯园又称小斯巴达，是20世纪最引人瞩目的园林之一。像其他前卫的苏格兰园林一样，它的影响力跨越了大西洋，如邓弗里斯的宇宙沉思花园（详见67页）。

芬利的一生，是浪漫主义诗人们所期待的一生。他出生在巴哈马的拿骚，幼年在苏格兰父亲的帆船上度过，一家人靠捕捞珍珠和走私酒为生。6岁时，他被送到苏格兰的寄宿学校，他的老师是诗人奥登。禁酒令结束后，他的父亲来到佛罗里达州种植橘子，但当霜冻摧毁了他的生意后，他又回到了格拉斯哥，生活一度十分窘迫。当德国空军在克莱德发起闪电般的猛攻时，芬利一家不得不一起躲到厨房的桌子下面。

←伊恩·汉密尔顿·芬利——一位诗人、园丁、修路工、牧羊人和热爱生活的人。

→在对小斯巴达的宣言中写道："我要在孤独的森林中，放飞我内心的所有崇高情感和所有值得称赞的冲动。"

　　在芬利十几岁的时候，他就认为自己会成为一名艺术家，并在格拉斯哥艺术学院经历了短暂的学习生涯。在那里，年轻而充满叛逆精神的芬利组织了一场学生罢课运动。之后，他便放弃了大学生活，和他之后的妻子——艺术家马里恩·弗莱彻一起搭车去了伦敦，体验苏豪区的艺术生活。1942年，芬利被征召加入非战斗部队，虽然没有真正服役，但他仍然在德国待了一段时间。

　　婚后，芬利带着妻子继续在奥克尼群岛过着艺术家的生活。在接下来的10年里，他当过牧羊人和修路工人，同时也为《格拉斯哥先驱报》提供绘画作品，为英国BBC广播公司撰写一些故事，他有时住在爱丁堡，有时住在奥克尼。1961年，芬利与杰西·希勒共同创立了野山楂出版社，专门出版自己和其他人的诗歌。他曾经废弃的文稿，都集中于1958年的散文《海底》和短篇小说集《其他的故事》里面。他放弃了绘画，以文字为媒介，尤其是以一种有意义的视觉方式——具象诗来呈现，这为他进入英国起到了重要的推动作用。

↓芬利雕刻的一段有纪念意义的铭文，是20世纪园林的一个标志。文字来自哲学家圣茹斯特——现在的秩序是未来的混乱。

→园林不仅是一种撤退，也可以作为一种进攻。园林入口处放置的手雷就像一种警示，它们像芬利所有的作品一样做工精致。

后来，芬利与他第二任妻子苏·斯旺生了两个孩子。芬利的妻子从她父母那里继承了斯通派斯农场，在1966年，这个农场正式成为他们的家。当时斯通派斯农场还是一个破败的农庄，在一个300米高、荒凉、崎岖，且只有白蜡树的山坡上。芬利与妻子白天开垦、种植，晚上写作、编辑，直到20世纪70年代末，斯通派斯园林终于建成了。这是一座私人领地，也是田园思想、古典主义、新古典主义和引发争议的圣地，芬利也由此一举成名。

斯通派斯园林占地只有十几亩，有着稀疏的灌木丛和水塘，还有高高低低的、没有修剪过的草地和一些多年生植物。大多数植物的色调都是平和的，是土生土长的当地品种，或者北方农庄常见的植物品种，如桦木、赤杨木、松树、鸢尾和天竺葵等。在园林基础的形成阶段，大多都是由他的妻子苏·斯旺设计的。芬利在园中加入了他的铭文和隐含典故的雕塑——这样的作品都是受到周围特殊环境的启发，并在环境中散发着独特魅力。它可能是一组巨大的石板，铭刻着引自法国革命家圣茹斯特的名句；也可能是一对石柱，石柱顶端装饰着石头雕刻的手雷而不是菠萝；巨大的镀金阿波罗头像从地底冒出来，标签上写着"恐怖主义"；或者是红色与灰色相间的、木制的伪装立柱，用来驱赶吃树莓的鸟类。

有些人匆匆一瞥，可能会觉得芬利的这些格言警句不是过于笨重，就是难以理解，或者是数量太多了。但是它们存在的价值，不只是为了让人们粗略地浏览，它们所饱含的丰富含义与叠加的层次，本身就充满了引人入胜的智慧碰撞。芬利讨厌自我陶醉的"自白体"诗歌，或者只是简单地为了与众不同而产生的作品。他写道："我对'试验'并不感兴趣，但是先锋作品，可以引导你

↑芬利的小斯巴达被征税。他与当地政府公开对峙，并成了全国新闻，逐渐演变成一场智力上的拉锯战。

的思维创造与过去联结。"他觉得，园林不仅是园艺的载体，也应该蕴涵寓意和意境，就像格言是哲学家手里的"手雷"一样。所以，在这样一个受人喜爱的18世纪英国风景式园林中，除了蕴涵着维吉尔式和古典式风格的价值观，还出现了针对德国和法国大革命的质疑，使它成为一个充满了激情价值观的地方。无论参观者是哪一种价值观，或为何种价值观而奋斗，在斯通派斯园林中都能找到共同语言。

芬利还为斯通派斯园林进行了许多斗争，大多是与当地政府展开的拉锯战。当地政府认为，他这是利用场地展示艺术品，需要征收赋税；但是芬利则认为这是为阿波罗本人、为他的音乐、他的格言和他的缪斯所建造的神殿。这场体能和智力上的对峙僵局，还受到了当地媒体的关注，他的朋友们还为此成立了"神圣与公正"委员会来保护它。从此，斯通派斯园改名为"小斯巴达"，开始抵制爱丁堡的世俗官僚主义，而爱丁堡是以"北方的雅典"而著称的城市。芬利最著名的格言是："有些园林的暂时后撤，其实是在蓄势待发。"

是芬利在耍小聪明吗？不是。正如芬利写给罗伊·斯特朗爵士的那样，"对于某些人来说，在他们身上似乎从来不会出现称得上是精英的东西，同时他们认为对别人来说也只是很普通、很一般的。当然，只有受过教育的人才会指责精英，这个词对于普通人来说是不存在的，尽管他们中的一些人，无论怎样都会认为应当努力工作"。

1987年，芬利的作品《通往神殿的风景》在卡塞尔市文献展中展出，他终于有了稳定的收入。他还在普罗旺斯的弗拉德拉尔园担任植物顾问的工作，并且在园林里放置了40件自己的艺术作品。虽然芬利不喜欢离家远游，但这丝毫不影响他将艺术作品销往国外，这些作品通常是结合了诗意和精湛技艺的作品。除了小斯巴达，他的最后一件作品是将一个农场改造成封闭式庭院，这件作品在他逝世后才完工。芬利在欧洲和北美留下了76件永久性装置，其中包括190余件艺术作品。芬利的作品曾在德国斯图加特的马克斯普朗克研究所及英国卢顿的斯托克伍德发现中心进行展出。现在，游客们还可以参观欣赏小斯巴达。

↓虽然大部分芬利的艺术品给人的感觉都是深奥的，比如这个从绿色丛林中冒出的这个巨大的、镀金的"阿波罗"头像，给人强烈的冲击感。

罗伊·斯特朗

关于拉斯基特园的典故和自传
生于1935年

1935年
希特勒违反1919年凡尔赛条约，宣布重新实行义务兵役制。
发现百浪多息，即第一种商品化的合成抗菌药。
柏林出现第一个电视节目。
乔治·格什温创作的《波吉与贝丝》在百老汇首演。

罗伊·斯特朗，是著名的艺术史学家、评论家、博物馆馆长和园艺师，同时也是衣着考究的人。他应邀为很多杰出的园林提供建议，但投入最多心血和精力的是他为自己在赫里福德郡郊区建造的拉斯基特园。这个园林是斯特朗在1973年与他的妻子——戏剧设计师茱莉亚·特里维廉·阿曼一起建造的，因为这个园林与当时的潮流背道而驰，所以人们对拉斯基特园的评价褒贬不一。这两种极端的观点都不能阻止拉斯基特园成为一个引人注目的园林，它是一个具有感染力的、思想独立的产物。

那么，拉斯基特园有什么争议呢？拉斯基特园的拥护者们宣称，这是一种令人钦佩的回归——回到园林艺术作为一种象征性的叙述意境的时代，象征着造园者的生活和他们的情感。在现在这样一个推崇低投入和自然生态主义园林的时代，拉斯基特园是敢于运用大量直线形态，并且需要大量劳动力投入的园林作品。不喜欢拉斯基特园的人回应到，这是一种任性的、以自我为中心的作品，是精英主义的代表，是与民主、生态意识主导的时代精神脱节，并且园内繁复的建筑装饰也过于拥挤了。

双方都忽略的是：拉斯基特园首先是有趣的，就像游戏一样。园林设计者们花了许多年的时间参与这个游戏，就像那些18世纪的意境园林一样，虽然有着严肃的内涵，但却给人带来轻柔的触动，比如斯陀园。其次，它是私家园林。它的建立并不是为了公共消费或得到公众认可，即使后来因为大家迫切地想欣赏它，斯特朗才被说服，逐步对参观团体限制性地开放了拉斯基特园。

拉斯基特园的乐趣还来自园内包罗万象的丰富内容。这里并不存在庄严、缓慢推进的长镜头，或者是由建筑开始，缓缓展开的壮观而对称的画面。取而代之的，是因场地的限制而无规律、不断变动着的画面，它们会依次展开，几乎没有片刻的停顿。然而，当从一个画面跳到另一个画面的时候，令人惊奇的元素出现了，就像在凡尔赛宫遇到的、充满戏剧性的灌木树篱一样有趣。斯特朗非常乐意向过去几个世纪中华丽、宏伟的设计作品致敬，并且有勇气在这个微缩的尺度里，跟它们一起游戏。

罗伊·斯特朗出生在北伦敦温切摩尔山郊区的一个小家庭中，他的学术能力与他的抱负相当匹配。他先在伦敦大学攻读历史专业，而后在瓦尔堡研究所完成了博士学位。这个伦敦男孩通过努力，将自己塑造成了一个拥有广阔知识和社交世界的人。1959年，他成为国家肖像馆的助理保管员，后来担任主管（1967—1973年）。在他担任主管期间，使得之前被忽视的展品重现光彩，由此吸引了大量的参观者，尤其是知名摄影师塞西尔·比顿的人像展。

1971年，斯特朗与戏剧设计师茱莉亚·特里维廉·阿曼博士结婚，那时她刚刚与《谜语变奏曲》的编剧弗雷德里克·阿胥顿合作，并获得了成功。斯特朗总是爱说自己作为如此成功的国立肖像馆主管，收入却很微薄（事实上他是第一任没有个人收入的主管）。所以他和妻子只能以很少的预算寻找乡村住宅，最终在1973年买下了1.6公顷的拉斯基特。阿曼形容它是"平淡的乡间摄政时期风格"，不过作为一个营造家和园林的空白画卷，它再合适不过了。

1974年，斯特朗成为历史上最年轻的、南肯辛顿地区维多利亚和艾伯特博

↑斯特朗和他的妻子在她心爱的果园里，阿曼不喜欢被称为"斯特朗女士"（斯特朗意为强壮）。

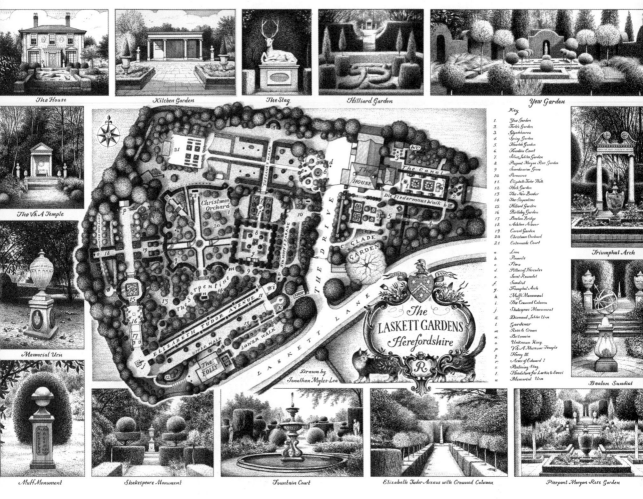

The House　Kitchen Garden　The Stag　Hilliard Garden　Yew Garden

The V&A Temple　Triumphal Arch

Memorial Urn　Bealon Sundial

Muff Monument　Shakespeare Monument　Fountain Court　Elizabeth Tudor Avenue with Crowned Column　Pierpont Morgan Rose Garden

The LASKETT GARDENS Herefordshire

Drawn by Jonathan Myles-Lea

↑拉斯基特园平面图，由乔纳森·麦莱斯 - 利亚绘制。呼应了18世纪园林平面图的绘制风格，正如第30页的插图中所展示的威廉·肯特设计的爱夏园平面图。

物馆馆长，又一次给这个以古板著称的机构注入了新的活力。斯特朗通过两次重要的展览，展示了他对于园林越来越多的关注。第一次是1974年的展览"英国乡村住宅的毁灭（1875—1975年）"，让人们看到那个因高额赋税和城市化加速，导致上千处优秀住宅和庄园消失的悲惨困境。他在举办这次展览时学到的知识，也为自己带来了挑战。为了对抗"时代和当下的意识形态"，斯特朗将在拉斯基特建造一座正统的乡村园林，是"另类而英式的"园林——有精心修剪的绿色植物、玫瑰和果树园。它是"一座充满美景与惊喜、私密与神秘的园林，同时也是充满记忆的园林，这里装满了两个人的回忆，也包含了他与朋友们的回忆"。斯特朗把它称作"一个充满典故的世界"。大部分布局都是在维多利亚和艾伯特博物馆任职期间（1974—1987年）完成的。

　　1979年，另一个在维多利亚和艾伯特博物馆的展览是"园林：英国园林千年庆典"，这个展览既展示了丰富的英国园林遗产，也反映出当时的问题。值得注意的是，英国各时期的大型园林都面临着资金缺乏的问题。而与此同时，园林史研究正在作为一个受人尊敬的学科逐渐成熟。英国园林历史协会于1966年成立，最初只是依靠慈善机构的资助，在1983年它成为法定顾问机构，为英国政府关于历史园林和特殊园林的规划申请提供意见和建议。后来，斯特朗成为了该机构的主席。

斯特朗具有"秩序与视觉兴奋"的、规则式几何园林的设计思路，部分灵感来自雷金纳德·布洛姆菲尔德的《英格兰规则式园林》（1892年）和亨利·特里格的《英格兰和苏格兰的规则式园林》（1902年）；而特里格的灵感是源自17世纪法国伟大的园林设计师安德烈·勒诺特尔（详见84页）；关于如何修剪规则形状的建议，斯特朗参考了纳撒尼尔·劳埃德的"紫衫与盒子的造园工艺"（1925年），他是克里斯托弗·劳埃德的父亲（详见264页）。17世纪末，位于坎布里亚郡的利文斯庄园中的简单几何结构，正是斯特朗最推崇和喜

↓带有雕刻文字装饰的拉斯基特园，这是比伊恩·汉密尔顿·芬利的小斯巴达园中带有壁柱神殿的、更有趣的版本。长方形的花圃因枯萎病的侵袭而被毁掉，后来斯特朗在这里种植了石楠。

↑伊丽莎白都铎大道。在拉斯基特园，没有什么是简单的：两侧层次丰富、光影变幻的树篱，还有中间铺设的复杂小路，将参观者引向一个彩色镀金加冕的圆柱。

爱的。20世纪的灵感来源，可以从封闭且风格各异的"庭院空间"的设计中找到，它们在维塔·萨克维尔-韦斯特位于肯特郡的西辛赫斯特城堡花园（详见230页）和劳伦斯·约翰斯顿位于格洛斯特郡的海德科特花园（详见104页）中出现过。

斯特朗的灵感不仅来自英式园林，在意大利，他游览了维尼奥拉于1973年设计的、规则式的文艺复兴园林卡普拉罗拉和兰特庄园。1979年，斯特朗参观了刚修复完的荷兰赫特洛宫，同年出版了《英格兰的文艺复兴园林》一书。

20世纪80年代，斯特朗遇到了英国园林界的元老罗斯玛丽·维里夫人（详见258页）。斯特朗欣赏她在格洛斯特郡的巴恩斯利花园中所设计的精美浮雕和追随都铎王朝和斯图亚特王朝的园林理念——园林结点、隧道、青柠树篱幽径和装饰性菜园。维里告诉斯特朗，她的一系列布景和节点上布置的雕塑，就好比维多利亚和艾伯特博物馆，所到之处都充满了丰富的内容。拉斯基特园中所有的设计元素都围绕着园林设计者的生活、友谊，甚至还有他们的宠物猫——希利亚德园、阿什顿凉亭、蝙蝠之路、考文特花园、维多利亚和艾伯特博物馆神庙，神庙上面非常适宜地以希腊文（出自罗斯玛丽·维里喜爱的雕塑家西

↑茉莉亚·特里威廉·阿曼的果园，是苹果树和玫瑰花丛组合的规则式园林，还拥有长满藤蔓植物的浪漫拱门。这是在她去世后，被修复和开放的区域之一，给人焕然一新的感觉。

蒙·维里提）雕刻着《记忆，缪斯之母》。

1995年，斯特朗参观了小斯巴达——伊恩·汉密尔顿·芬利在苏格兰边境设计的具有深刻内含的园林。这激发了斯特朗在拉斯基特园中加入更多铭文的想法，他不在意它们能不能被读懂，只为取悦那些能懂它的人。

斯特朗通过罗斯玛丽·维里结识了查尔斯王子，使自己成为格洛斯特郡贵族圈的一员。1989年，斯特朗为王子在泰特伯里的私人海格洛夫庄园提出建议，将紫杉修剪成树篱。斯特朗偶尔会来到园中亲自修剪，他在1983年被封为爵士。

相对斯特朗在艺术界享有的盛誉和地位，拉斯基特园却继续以较小的经费建设。园中主要的建筑都没有使用经过切割的天然石材，而是选用模制的人工重造石材，这也恰恰验证了园林艺术是用来满足个人享受的，而不仅仅只是一种华丽的装饰。虽然他知道自己钟爱的规则式园林已经过时，但斯特朗依然喜欢挑衅那些倾向自然生态主义的园林设计师。他认为"依赖植物的园林设计师都是失败的""不能在园林上用太多的金色"。

1987年，斯特朗从维多利亚和艾伯特博物馆退休，开始了作为艺术史学者、艺术史作家和园林作家的生活，同时他也是一名受欢迎的电视节目主持人。他出版过大量的书籍、日记，并在许多与艺术相关的组织中担任职务。

茱莉亚·特里维廉·阿曼是一位热爱植物的女人，并且钟爱隐居生活，她于2003年去世。阿曼的去世促使斯特朗对园林进行了大规模地修改，将林荫道修改回了原来的宽度，并移除了原本用来遮阴的、令人窒息的爬藤植物和多余的常绿树木。这对于园林和它的设计师来说都是一次新生，让拉斯基特园的精彩得以延续。后来斯特朗把拉斯基特园捐赠给了园林慈善机构，虽然他知道园林是变化和发展的，但他还是希望拉斯基特园能够在某种程度上存留下来。罗斯玛丽·维里称它为"1945年以来英格兰最大的规则式园林艺术"。

↓斯特朗是园艺实用技能的推崇者，他决定在自己去世后，将拉斯基特园留给皇家园艺协会的慈善组织。厨房后花园也是园林的重要组成部分。

查尔斯·詹克斯

通过地形阐释宇宙理论

生于1939年

1939年

罗伯特·奥本海默和哈特兰·斯奈德预测黑洞的存在。

发现核裂变。

艾伦·图灵开始在布莱切利公园破译密码。

尼龙织物出现在纽约世界博览会。

查尔斯·詹克斯的使命，是将科学和宇宙学的隐喻以景观的形式表达出来。根据他的说法，这并不是什么新事物，从古波斯和古埃及的园林中可以找到相同的形式。尽管他承认，任何形式的精神园林都比单纯以传统审美建立起的园林要稀少得多。

詹克斯对象征宇宙学园林的探索也许是举足轻重的，因为它为强大的西欧园林的传统设计注入了新鲜的血液。查里·罗伯特·达尔文在1859年发表《物种起源》，它使人们通过理性和科学来质疑现存的物种不变论和神创论，并由此获得自由。人类和宇宙是进化的现象，而不是神介入的结果，这一观点开始被人们探讨，甚至在文学和艺术领域的探索也变得司空见惯。然而，直到20世纪90年代，詹克斯才将这种思维方式转化到直观可见的园林创作艺术中，这是一个巨大的飞跃。

查尔斯·詹克斯出生在美国巴尔的摩，他在哈佛大学读完建筑学硕士后，于1970年来到英国伦敦大学继续攻读建筑史博士学位。然后詹克斯留在了英国，成为一名建筑评论家，他因对后现代主义建筑概念的命名和划分而著名。他出版了大量的书籍（主要是关于建筑设计的，还有一部分是关于景观设计的），并曾在40多所大学任教。詹克斯对建筑设计保持热情和兴趣的同时，也作为景观设计师不断地创造出许多杰出作品。

1978年，詹克斯与麦琪·凯瑟克结婚。凯瑟克是一名建筑师、园林设计师、中国园林专家，是怡和集团老板约翰·凯瑟克爵士的女儿。在她位于邓弗

↑查尔斯·詹克斯在位于苏格兰波特克的家里。他是园林界的一名杰出的"挑衅者"，他充满智慧的作品有的令人愉悦，有的不被大众理解。

↓麦琪·凯瑟克是詹克斯的妻子，是他园林设计的伙伴。

里斯和加洛韦的波特克别墅里，两人从1989年开始设计精神园林，并称其为"宇宙沉思花园"。它不仅是简单地模拟自然风景，而还向人们展示自然规律，它最大的特色是蜗形山丘和新月湖。"宇宙沉思花园"成为20世纪最具代表性的精神园林，就像1948年托马斯·丘奇在加利福尼亚唐纳花园里设计的游泳池一样。凯瑟克于1995年死于癌症，在她的提议下成立了麦琪·凯瑟克·詹克斯癌症治疗慈善机构，向癌症患者提供社交和情感上的支持。新的麦琪中心还在不断的建设中，并聘请了世界上最知名的建筑师和景观设计师。

从在波特克设计第一个地貌开始，詹克斯就开始延续精神园林的设计理念，尤其是运用绿地地形，至今已经创作了将近40处。每一处绿地都在景观中表达了某些隐含的物理学和社会学现象，并融合了当代人与景观如何跟最新的宇宙科学理论相适应的观点。

讽刺的是，那么多的波特克蜗牛山丘的图片，都只是简单展示了它被精心雕琢的草皮、水面和倒影。而对于詹克斯来说，通过这种景观所要表达的确切含义，是从DNA到宇宙黑洞，再到平行宇宙的一切科学理念，这是与美学意义同等重要的。当人们粗略地欣赏这个作品时，可能只是看到一片土丘或石头的景色，但是当走近仔细观察，就会注意到大量的金属雕塑和铭文。詹克斯坚持认为这些土丘和石头不是装饰，而是景观绝对不可或缺的一部分。那些只对审美感兴趣的人会发现，这个作品让步于坚定的物质意义的表达。詹克斯发现，一些客户追求景观的纯粹美学意义，而不是象征意义。他对此的回应非常简单："如果你能接受有争议的设计，那我可以为你工作。"他需要在景观设计

↓詹克斯家里的蛇形蜗牛山丘，位于苏格兰波特克的宇宙沉思花园。它与18世纪的园林，有着相同的景观特征——树、草坪、水和倒影。

↑ 宇宙沉思花园中的对称断裂平台。有些人只在詹克斯的作品中获得了审美上的乐趣，另外一些人则喜欢与他的作品进行智力层面的对话。

理念上，保持充足的智慧和活力，才能让它变得有意义。有时设计理念会产生争议，"人们必须突破障碍，超越纯粹的审美方式，迎接新事物的发生"。

　　然而，詹克斯很高兴人们能把自己的理解带到他的景观设计中，因为他们也是介入人与地球之间共同创造的参与者。他坚持认为，如果想让景观设计有价值，那么其内涵、象征、意义都是至关重要的。对詹克斯来说，关于宇宙的问题是非常重要的。他认为，科学发现是我们这个时代最辉煌的成就之一，而能够更好地表达意义的方式并不是在一个花园里，而是将人类的身体放置于大地上、暴露在天空下、存在于生物之中。如果说以前的园林激发了人类关于存在的思考和对上帝的质疑，那么今天的宇宙沉思花园，就是在自由探索我们究竟存在于什么之中。

　　詹克斯没有提供答案，而是告诉人们该怎么思考。他意识到，作为艺术家的工作和义务，就是及时对新思维拓展出的理念作出回应，并通过符号或者隐

位于苏格兰的多元宇宙中的黑洞。詹克斯通过层叠的图景，在地面上展示了基于宇宙学和科学的这一理念。

↑韩国顺天市的顺天湾自然生态公园。詹克斯设计的地形，通常允许人们进入参观，所以他们可以得到三维立体的全方位体验。在自然生态节的开幕典礼上，邀请了舞者、音乐家和摩托车爱好者。

喻表达出来，让人们得出自己的结论。作品本身就是一种探讨，在他撰写的《宇宙沉思花园》（2003年）一书中，你会发现，詹克斯以柏拉图对话的方式——通常是自己和一位杰出的科学家之间的对话，作为逐步阐明一个深奥概念的方法，并使它能够被人们深刻地理解。

　　詹克斯的作品中至少有一半是为公共空间设计的，而且所有这些空间都是定期开放的。韩国顺川市的顺天湾自然生态公园、爱丁堡的苏格兰国立现代艺术馆外的景观、拥有大型强子对撞机的日内瓦欧洲核子研究中心，都是由公众共同决定的。爱丁堡城外的木星艺术园，是一项私人的投资项目，实际上就是一个雅致的雕塑公园。诺森伯兰女神位于泰恩河畔纽卡斯尔的北部，占地19公顷，高34米，是以一位沉睡的女性形象设计的社区公园。它也像詹克斯的其他一些作品一样，都是对工业用地的改造，这里曾经作为煤矿开采基地使用。米兰的波特洛公园，就是詹克斯在原污染企业阿尔法·罗密欧公司的旧址基础上设计建造的。最近他在苏格兰的一个项目"克兰西克平行宇宙"，由八个不同地貌和一些其他特色景观组成，也是在一个破败的大型露天煤矿旧址上进行的设计与建造。

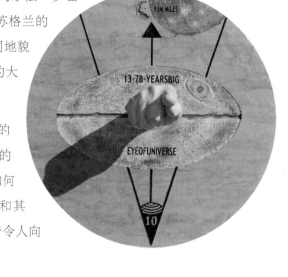

时间将证明，被詹克斯高度评价和推崇的科学象征手法，将会成为现代园林设计常用的元素。但无论当代园林设计师和园林鉴赏者如何评判，他的园林作品都将永存，就像金字塔和其他古墓建筑一样规模宏大、不可磨灭，散发着令人向往的神秘感。

↑位于泰恩河畔纽卡斯尔的诺森伯兰女神，是一个以具象的人形为景观形式而设计的社区公园。它建造于采矿废料中，只能从空中辨认出它的形态。
↓女神倾斜的头部。宇宙之眼是她额头上的一个特征。

亚历山大·雷福德

意境园林的捍卫者
生于1962年

1962年
甲壳虫乐队在德卡的试镜被拒绝。
古巴导弹危机发生。
阿尔及利亚从法国的统治下获得独立。
TELSTAR1号通信卫星发射成功，并转播了第一个跨
大西洋的电视节目。

在 20世纪末，园林设计领域开始厌倦追求传统艺术和传统工艺的奢华，以及品种丰富的植物，并开始提出新的问题：究竟什么是园林？随之而来的还有这些问题：一处园林的设计必须全是以植物为主要内容的吗？它能不能跟意境有更多的关联？一处园林可不可以像其他艺术品一样引发争议？一件户外装置艺术品可以被称为园林设计吗？

人们对这场辩论的回应，最先出现在法国卢瓦尔河谷的肖蒙国际园林展览会上。这样的国际园林盛会是前所未有的，它激发了加拿大历史学家亚历山大·雷福德的灵感，使他在自己的雷福德公园里也创办了一个类似的园林展会。雷福德公园也被称为贾丁斯·姆蒂斯园，位于加拿大偏远的乡村——大姆蒂斯中。这个一年一度的活动，逐渐成为加拿大园林的国际性标志，也是世界上最重要的园林展览会之一。雷福德的倾心栽培和专注设计，创造了园林界的奇迹。

雷福德的父亲是一位地球物理学家，后来在渥太华附近的地区经营农场。雷福德从小在农场里长大，在学

↑历史学家亚历山大·雷福德。

校里接受教育，并获得了哲学学位，之后他又在多伦多大学和牛津大学学习历史。由于对加拿大史和商业史十分感兴趣，雷福德开启了自己的学术生涯，开始在多伦多大学工作。直到雷福德家族存档的大量日记和照片引发了雷福德的

↑1935年左右，埃尔西·雷福德在浪漫的水边花园，与心爱的百合合影。

兴趣，才使他的生活走向完全不同的方向。

这个故事需要回溯到一百多年以前，在1894年，雷福特的曾祖母埃尔西，嫁给了家族经营航运业的罗伯特·雷福德。这对夫妇在蒙特利尔建造了一所房子，还将从埃尔西的叔叔那里继承的埃斯特里小屋，修建成一处滨河的避暑别墅，位于魁北克省向东480公里，在姆蒂斯和圣劳伦斯河的交汇处。这里夏天凉爽，而从每年的11月到5月，这里的积雪能达到3米高，气温骤降至零下35摄氏度。

这里原本是一处适合体育活动的居所，比如钓鱼、打猎和滑雪，但是在1926年，54岁的埃尔西·雷福特从阑尾手术中康复（直到1967年去世），通过自学把这里变成了一个8公顷的园林。这个园林花费了10年时间建设完成，并在大萧条时期为当地人提供了就业机会。埃尔西喜欢收集一些特殊的植物（那些有限而短暂的、夏季长势良好的植物），比如百合、龙胆、牡丹、飞燕草、报春花和海棠。

在游历过德雷斯顿和巴黎后，埃尔西对欧洲传统有了感觉，她读过格特鲁德·杰基尔（详见222页）和威廉·罗宾逊（详见208页）的著作，他们对野趣园林的设计理念与埃尔西的想法不谋而合。园林中只有一条直线，但那是一条长90米、宽3米的草本花木绿带，在它的前面，种植着成千上万株香水百合。

↑传统的园艺结合现代园林装置展览会，为当地的旅游业带来巨大的成功。

后来，他们将姆蒂斯的房子和花园留给了雷福特的祖父（他是爱尔兰的一名职业军人），但他很快意识到自己无暇顾及这个地方。1961年，加拿大政府果断地收购了它，将其作为对繁忙的夏季旅游路线的一种缓解，并于1962年开放给公众。美味的食物和工艺品商店，使它成为了一个吸引人的好去处，但收入永远不足以自给自足。经过30年的努力，政府在1994年最终决定将它私有化或是关闭。

而与此同时，亚历山大·雷福德偶然发现了埃尔西记录的厚厚的日记，还有罗伯特在蒙特利尔大量的照片存档，他开始为此着迷。1995年，雷福德家族成立了贾丁斯·姆蒂斯公司。这是一家非盈利性的公司，曾对多个园林进行开发和修复。随后，在蒙特利尔大学景观系举办的暑期课程里，埃尔西收集的植物开始被重新复原，一起被复原的不仅仅是她去世时的园林面貌，还有她的园林设计理念。准确地复原历史花园在当时非常流行，雷福德的做法很有意义，他并不熟悉植物，所以采取了这种更自由的方式来修复园林，而做到这一点必

↑2005年的《伪装遮障》。反光的片状玻璃，无形地挡住了通往大海的道路，展现出光、阴影、树和海面这所有的一切。

↑2014年的《圆盘》，它是一个钢质的水盘，倒映了天空和树木繁茂的景色，也收集了大自然的降水。圆盘中盛满了水时，它也反映了水中生命的发展，因为动物和植物可以在这里自然地繁殖生长。

须要努力工作才能达到收支平衡。雷福德对于距离多伦多1300公里的路程感到疲倦，最终放弃了在多伦多的教学工作，搬到姆蒂斯居住。

他带着专业兴趣阅读新闻报道，一个在1992年开始举办的、由让·保罗·比戈伊特创意的法国项目——肖蒙-苏-卢瓦尔举行的园林博览会让他羡慕不已。雷福德在1998年访问了肖蒙，意识到这个博览会中的、仅在夏季举行的装置园林展，可以帮助他复兴贾丁斯·姆蒂斯公司。因此，他向加拿大政府申请在贾丁斯·姆蒂斯公司也举行一个类似的博览会，他成功地获得了资金，并使其成为一个庆祝千禧年的项目。这个项目得到了蒙特利尔大学景观建筑教授菲利普·帕劳克·高尼德科及建筑设计师、展会总负责人丹尼斯·莱米奥的支持。"贾丁斯·姆蒂斯"国际园林展览会是北美的第一个园林展览盛会，也是目前世界上屈指可数的园林展览会之一。

从一开始，展览会中的装置园林就与传统的园艺展览相对立，正如在皇家

←2003年《反射》。一个由着色的玻璃构成的三角形，反射出森林和观看者之间变幻的假象。
↓2006年《查顿·德斯·赫斯帕里德斯》。一个巨大的丝绸灯笼漂浮在橘树林水塘上，水中的橘子树溢满了果香。

园艺协会的切尔西花展中所看到的那样。在那里，园林像是被冻结了一般，完美的园艺和栽培技术占据了最高的地位。而在姆蒂斯，游客们可以在园林中穿行。参展作品像是盛满千奇百怪想法的盒子，而不是加了外框的风景和花卉的布置。这些装置艺术作品被放置在开阔的空间中或是散落在林地里，它为设计师提供了非常棒的自然场景。而在法国肖蒙的花园中，作品被聚集在一起，就像在画廊里展出的画作一样，许多作品可以被同时看到。而在贾丁斯·姆蒂斯园，参展作品是可以分开展出的，每件作品都拥有一个更独立的展示氛围。

有些参展者可能已经有了成功的事业，并蒸蒸日上。在克劳德·科米尔著名的《蓝棒花园》（2006年）中，设计师用色彩和材料巧妙地制作出混合边界，这一设计手法是由格特鲁德·杰基尔提出的理念。后来科米尔在蒙特利尔、多伦多和北美其他地方的设计作品，获得了许多奖项。而由阿兰达·拉斯奇建筑工作室呈现的作品《伪装遮障》（2005年），则被认为是美国建筑的先锋作品。

↓2009年《哈！哈！》。隐匿在矮墙中的、一条蜿蜒的下沉式步道中，两旁布置着座椅，周围环绕着具有明亮颜色的热带植物。并不是所有姆蒂斯的装置作品都是严肃主题的。

↑2006年《蓝棒花园》。所有的长棍都被涂上了不同的颜色，当你经过的时候，就会发现颜色的变化，同时这也是姆蒂斯生长的、蓝色罂粟花的赞歌。

　　这个展览拥有越来越强大的力量，就像埃尔西的园林一样，现在已经变成一个吸引30～50岁参观者和那些50多岁的传统园林爱好者们的活动场所。从最初的每年提供20个园林展区、许多展区保留2～3年开始，这个展览会一直在不断壮大。目前，在可供选择的6个景点中，每年都有300位来自世界各地的景观建筑师、园林设计师、建筑师、平面设计师和雕塑艺术家申请加入，这些人都是由专家评审团精心挑选出来的。园林展区是由展览会资助和建造的，与肖蒙的展览会不同，这里没有年度主题，也没有设置奖项，园林的意义完全取决于它的设计者。在4个月的时间里，有6万名游客来到距离城市360公里的雷福德公园中。相比距离巴黎仅200公里，在6个月里吸引了15万游客的肖蒙，这也算是一个不小的成就。

　　雷福德项目现有的问题，就是姆蒂斯的装置艺术在加拿大其他城市出现了复制品和效仿品，这抢走了展览会的一些风头。但从另一个角度看，模仿毕竟也算是最真诚的恭维吧。

营造直线园林

许多人并不喜欢园林里的直线，甚至可以说是厌恶。因为他们认为笔直的直线会伤害到自然，这对于观赏者来说是种折磨，同时他们认为园林设计师的意图是借此机会控制和限制那些进入园林的参观者。

当然，从某种程度上来说他们是正确的，这的确是一种形式上的控制，但却是一种温和的控制。如果你退后并获得纵览全局的视角，你会发现直线线条和三维几何形体的运用，只是园林设计师创造空间的方式。同样，巴赫的几何音乐结构（或数学音乐结构）就被认为是它们自己独特的艺术方式，是展现了人类智慧的杰作。

那些运用直线的园林设计师可能还会说，他们这么做是对大自然的变幻莫测所作出的反应，包括恶劣的气候、饥荒和疾病，以及应对在荒野丛林里迷失方向。所以，早在古波斯的天堂花园里，高墙的围护、闪着波光的运河和喷泉所形成的水景，都很受人们欢迎，这很好地缓解了人类对大自然的恐惧心理。如今，随着抗生素、空调的出现，以及儿童死亡率的下降，都让人们忘记了大自然曾经的残酷无情，但其实它们离我们并不遥远。

这种波斯传统后来传到北非，并影响了北非摩尔式园林的产生，进而传入西班牙，运用在格拉纳达夏宫的建造中。在这之后，在伟大的意大利文艺复兴式园林中也看到它的身影。至此，一种规则式的、对水的控制形式，也在水池、瀑布和喷泉的运用中达到了新的高度。这种对三维立体的复杂形式的精准掌控，就连巴赫也一定会钦慕不已。

在近代园林中，我们也能清晰地感受到园林设计师们对几何形水池的偏爱。鲁琴斯（详见96页）在皇家园林中使用的圆形水池和长长的水渠，显然是借鉴了摩尔人的传统设计——就像佩内洛普·霍布豪斯（详见126页）在沃尔默城堡中设计的长长的水池；像劳伦斯·约翰斯顿设计的海德科特花园，运用简单、笔直的林荫道，与郁郁葱葱的绿篱空间形成对比。这些编织在一起的绿篱，在间距安排上就像林荫大道一样，构成了空间的韵律，展现了另一种规则式的几何形态。

当然，确实有些园林是想通过规则几何形式来控制浏览人群。最典型的例子，就是17世纪由安德烈·勒诺特尔为路易十四设计的凡尔赛宫。在这里，政客们得以消磨时间的大运河和辐射状林荫道，体现了自然被权力征服。丛林园——隐匿在树林中各成一体的、华丽的、高度建筑化的花园，就像是重大表演或烟火秀的邀请函，没有人会拒绝这样的园林。如果说在宏伟笔直的林荫道之间，有一定数量装饰性的、修剪成形的几何形体，那一定就是林荫道了。凡尔赛宫的景观设计，充分体现了路易十四对宫廷的掌控。

还有些园林设计师，则是从法国园林先例中寻找元素，并以自己的方式运用它们。19世纪晚期，英国退伍军人威廉·安德鲁斯·尼尔斯菲尔德（详见90页）因为设计的花圃而闻名于世。这应该归功于像威廉·罗宾逊这样的园林设计师，他们提倡自然式种植——在笔直的小径交汇处，将地面设计改变为彩色砂石铺装的规则式花纹图案。

还有一些园林设计师，喜欢通过直线几何形态来体现比例和均衡。如罗素·佩吉（详见112页）通过建立平台、林荫道、水池，体现它们与建筑之间微妙的关系。还有克里斯托弗·布拉德利-霍尔（详见132页），他那富有想象力的现代主义园林建筑，通常都是以黄金分割为基础设计的，这样做不是为了让建筑数据精确，而是想让它看上去比例和谐。还有一些设计师从农业中汲取灵感，就像呼应耕田或收割时在土地留下的痕迹，赋予园林与环境地貌一致的感觉，从而使园林具有历史感，就像它早已存在，并且就属于那儿一样。妮可·德沃西（详见120页）在法国设计的薰衣草花园，就源自她曾生活过的普罗旺斯薰衣草花田。费尔南多·卡伦乔（详见138页）在西班牙的早期作品中，在房子的周围再建了优雅的、理想化的农耕景象，使它融入周围的乡村环境中。

也就是说，无论一个人多么不喜欢这种强有力的几何式园林，但他们都会喜欢与几何形态结合在一起的浪漫种植形式。在很大程度上，可以说是人们对使用直线的形式难以抗拒。

底图为安德烈·勒诺特尔设计的沃子爵城堡平面图。

安德烈·勒诺特尔

精妙几何幻象的编导者

1613—1700年

17世纪初	1700年
莎士比亚环球剧场毁于大火。 罗曼诺夫王朝诞生于俄罗斯。 奥斯曼帝国入侵匈牙利。 蒙特威尔第成为威尼斯圣马可教堂乐长。	诗人约翰·德莱顿逝世。 卡斯卡迪亚地震蔓延北美600公里的海岸线。 爱丁堡被大火彻底摧毁。

从来没有任何一种艺术尝试，是来自创造者头脑中绝对的原创，它永远是所处时代的产物，也是对之前创造的一种回应。如今，安德烈·勒诺特尔被称为是法国伟大的传统规则式园林的创始人，和他身处相同年代的园林设计师，如克洛德·莫莱和布瓦索·雅克，也致力于同样的设计风格。是什么令勒诺特尔如此特殊，并在园林设计史中占有如此重要的地位呢？答案便是他为号称"太阳王"的法国国王路易十四设计了凡尔赛宫，这是一个建造费用不断增加、永远无法与建造预算取得平衡的项目。在接下来的300年里，凡尔赛宫持续影响着欧洲的规则式园林，如瑞典的卓宁霍姆宫、英格兰的汉普顿宫、荷兰赫特洛宫，以及通过对19世纪伟大的规则式园林在英格兰复兴的影响，进而影响了设计代表人物，如查尔斯·巴里和威廉·安德鲁斯·尼尔斯菲尔德，随后也影响了20世纪晚期庭院式园林的发展。

勒诺特尔的设计灵感，却是来自于意大利文艺复兴时期的规则式园林：那些植物、景观，尤其是水体的设计，遵从严苛的人体工程学；讲究对称；讲究园主应住在位于中心位置的宫殿里，以纵观整个园林景观；讲究将所有的装饰和神话传说都交织在园林设计中。还有最与众不同的地方：大多数意大利庄园出于安全或者追求凉爽气温的考虑，会将园林建在高地上，但是勒诺特尔的园林却建在平地上。他的园林样式更多采用了二维的平面模式，通过水池的倒影和喷泉高高射出的水花，来营造三维立体的进深感。他采用了很多对比手法，比如坚实的几何体和开放空间的对比，以及开阔、笔直的景观大道和蜿蜒曲折的林地对比。而这些半规则式树丛，通常由树篱围合成独特的空间，为音乐剧和戏剧表演提供演出场所。

在那个时代，能够得到赞助是成功的关键。幸运的是，勒诺特尔几乎与所有人都有着良好的人际关系。勒诺特尔通过技术精湛的景观工程和园艺技术，将业主的想法落实成为绝妙的园林设计作品。他的父亲也是一位宫廷园艺师，为巴黎的杜伊勒利宫苑工作。勒诺特尔受家庭的影响，顺利开启类似的职业生涯。之后，他作为花圃设计师逐渐成名，并于1635年，在卢森堡宫为奥尔良公爵工作。他还是一位熟练的室内画师，就像威廉·肯特一样，并且受到当时时尚建筑师的青睐。1643年，路易十四成为国王，勒诺特尔被任命成为一名兼职行政人员，特别参与园林设计的工作，但他自己仍在私下为别人做园林，并为自己创造了不小的名气。

勒诺特尔最大的成就，就是为国王的财政大臣尼古拉斯·富凯设计了沃子爵城堡，这也是勒诺特尔巅峰时期的作品（1657年，44岁的他开始接手这个项目）。就对宏伟的规模和尺度的精准把控而言，时至今日，沃子爵城堡也称得上是法国最伟大、最有历史意义的园林，他的作品有着令人惊叹的对称设计、宏伟的大运河和精致的水景。富凯斥巨资打造城堡和园林，并于1661年在这里举办宴会（这也成为他最后一场宴会）。当时年轻的路易十四作为贵宾被邀请参加，路易十四是个精明且善妒的政客，他在那里感受到了贵族的傲慢，便以贪污罪剥夺了富凯的职位，并收走了沃子爵

↑1679 年，由卡洛·马拉塔创作的安德烈·勒诺特尔的肖像。

↑由伊斯雷尔·西尔维斯特创作的透视图。俯瞰整个沃子爵城堡最壮丽的部分。

城堡。园林设计师勒诺特尔为避免受到牵连，便来到距离巴黎20公里外的凡尔赛，准备在这里创建一个更加奢华的作品。一直到1700年勒诺特尔逝世，这个非凡的园林工程还在持续进行中。

凡尔赛宫的意图，在于向全世界显示路易十四的权力，尤其是对那些脾气暴躁的法国贵族们，他们被要求从市区迁往凡尔赛宫居住，在国王眼里，这样的安排是最安全的。凡尔赛宫就是他确保权势的手段，园林也是土地之上的、一种秩序的象征，他自己的卧室就位于整个园林的中心。

凡尔赛宫曾经只是个狩猎小屋，经过几十年的发展，成为世界上最伟大的宫殿之一，拥有崭新的城镇和规模相对较小的附属官邸。穿过毫无声息的、地势低洼的、瘴气四溢的沼泽地，便出现了一条长1500米、宽62米的大运河，成为开阔盆地、规则式林地和整个花园的景观主轴，这同样也是以对称的形式来建造的。这项工程采取爆破和人工的方式建造完成，因建造该工程的工人为更擅长建造军事工事的士兵，所以在建造过程中，因塌方和意外造成的伤亡率很高。园内的植物数量和种类也是举世瞩目的：42000棵榆树、600棵从佛兰德斯运过来的核桃树和2600棵香气四溢的橙子树被种植在"凡尔赛植栽盆"中，这种设计手法被沿用至今。

路易十四在勒诺特尔的陪同下参观园林，并查看规划扩建或者附近新建的房屋和庄园。他有时会外出修剪树篱，并亲自带着重要的来访者参观园林，甚至还为凡尔赛宫写了一本游览指南。对于许多设计师而言，路易十四是个终极难缠、如噩梦般的业主，但勒诺特尔却能与他相处得非常好。如果说沃子爵城堡是和谐、完美的艺术杰作，那么凡尔赛宫，就是一个伟大的实验性作品。

当然，勒诺特尔不是一个人单独工作的，这个园林是个合作的项目。在最初的几年里，由让·巴蒂斯特·柯尔培尔和建筑师路易斯·勒沃负责财务和后勤，后来于勒·阿尔杜安·芒萨尔也参与其中。比如莫里哀和拉辛这样著名的雕塑家剧作家、作曲家吕利和库普兰，负责为园林里为期一周的奢华娱乐活动创作作品，包含了海战、大型烟火表演还有野兽表演。大运河拥有自己的舰队，并配有一名海军上将和262名官兵。整个园林作品实际上是一个舞台布景，由勒诺特尔管理，为展示路易十四的权力和才华而设计和创建的。在凡尔赛宫里，满眼都是川流如梭的忙碌侍臣们。

↓如今从空中俯瞰的沃子爵城堡。没有了昂首阔步的朝臣们，也就无法彰显它显著的社会和政治地位了。

↑1673年，路易十四在凡尔赛宫的园林里，观看莫里哀的《爱丽德公主》演出。对页为珍·科泰勒绘制于17世纪的凡尔赛宫，一张绘有喷泉和矮树丛的透视图，天使丘比特在洒扫忙碌。然而这是不可能看到的景象，因为凡尔赛宫的地面其实是平的。

在勒诺特尔的漫长职业生涯中，绝不仅仅只有凡尔赛宫这个作品，他也为别的皇室成员和具有影响力的皇族设计园林作品。最著名的宫殿，分布在尚蒂伊、枫丹白露、圣日耳曼昂莱、圣克洛、索园和如今著名的香榭丽舍大道中。勒诺特尔不常旅行，大部分时间都待在巴黎，但是瑞典的设计师尼哥底姆·提契诺作为他的顾问，曾为他提供英国皇室在温莎格林尼治的园林规划建议。勒诺特尔还曾作为法国外交官到意大利会见教皇。在1693年，也就是勒诺特尔80岁退休的时候，他领取了丰厚的退休金，拥有精美的私藏名画，享受富足而平淡、低调的晚年生活。

如今，勒诺特尔的作品很少保持原样，后来或是为了降低成本，或是想要加入更多时尚的自然主义潮流元素，而改变了园林的面貌。而且任何规则式的景观元素，都很容易被误认为是来自那个时代的设计，但事实上，现在的这些景观造型产生的时间要晚得多。跟"万能"布朗一样，勒诺特尔也不是作家，这对于我们来说是巨大的损失，园林作品除了寥寥几张平面图以外，几乎什么也没留下。当然，凡尔赛宫例外。

威廉·安德鲁斯·尼尔斯菲尔德

军事手法布局景观

1794—1881年

1794年

伊拉莫斯·达尔文，在他的《动物法则》中提出，所有的生命有机体拥有共同的祖先。

罗伯斯庇尔创建最高主宰崇拜，并作为法国国教。

威廉·布莱克将《古代时代》作为《欧洲，一个预言》的卷首插图。

1881年

美国总统詹姆斯·艾伯拉姆·加菲尔德遭刺杀。

第一次布尔战争结束。

巴勃罗·鲁伊斯·毕加索与斯蒂芬·茨威格诞生

在亚利桑那州的墓碑镇发生OK畜栏枪战。

在18和19世纪，不像追求原创就是一切的今天，人们接受并称赞古老艺术的复兴。新古典主义、新帕拉第奥、哥特复兴，以及拉斐尔前派，所有这些在当时都非常流行。这些建筑从业者对复兴古老风格的手法引以为傲，他们承认受到了过去风格的影响，并进行效仿或者改进。其中的代表人物有威廉·安德鲁斯·尼尔斯菲尔德（军人出身的景观建筑师），他对都铎王朝和17世纪法国园林风格的复兴，都对19世纪中期的英式园林产生了影响。

尼尔斯菲尔德出生在英格兰北部的达勒姆郡、切斯特勒街附近的兰利公园，父亲是位牧师，在他还是孩子的时候就展现出了非凡的绘画天赋。他在摆脱教堂的工作后就去参军了，并在那里学习了工程技术、军事制图和地图编制（这些在日后使他受益良多），并成功晋级为第二中尉，参加了惠灵顿半岛战争。而后，他北上加拿大，担任了西北军英国司令戈登·德拉蒙德爵士

↑19世纪40年代，由詹姆斯·杜菲尔德·哈丁绘制的尼尔斯菲尔德的铅笔画肖像。

↑威廉·安德鲁斯·尼尔斯菲尔德创作的水彩画，是他位于北伦敦弗提斯格林的住宅和花园。以尼尔斯菲尔德的标准来看，这似乎是不规则式的，也没有花坛，但这仅仅是车行入口而已。

的副官，并在途中描绘了很多壮观的景色，比如尼亚加拉大瀑布。

绘画在他的心中始终占据着重要的位置，在英格兰桑德赫斯特进行短暂的停留后，25岁的尼尔斯菲尔德离开了军队，再次回到英国达勒姆郡居住，同时开始了专业的绘画生涯。后来他加入了古老的水彩协会，并成为协会中的积极分子。直到1851年，他才转移了注意力，并拓展自己的事业成为景观建筑师。他擅长绘制浪漫主义风景画，经常在知名水彩画家约翰·瓦利和大卫·考克斯的陪同下，从苏格兰高地到欧洲阿尔卑斯山进行沿途写生。约翰·拉斯金在自己的著作《现代画家》中，曾高度赞扬了尼尔斯菲尔德的作品。

尼尔斯菲尔德之所以选择景观建筑师这个职业，是受到他的姐夫安东尼·萨尔文的鼓励。沙尔文是一位复兴哥特式的建筑师，因欣赏尼尔斯菲尔德的军事制图才能，所以聘请他帮忙在房屋周边建造花园。尼尔斯菲尔德通过跟姐夫的合作，积累了许多客户资源。后来，他又进一步和其他重要的建筑师继续合作，其中包括爱德华·布洛尔和威廉·伯恩。位于北伦敦弗迪斯格林地区旁的园林是由萨尔文设计的，它受到知名园林作者约翰·厄普代克的喜爱，并在他的《园林设计者》杂志上给予了高度评价。

如果说胡弗莱·雷普顿（详见156页）是在"万能"布朗开阔的园林设计基础上，通过在建筑周围增加少量的规则式元素或台地，使其变得更为雅致，尼尔斯菲尔德就是以他的军事热情，加强了这种规则式的形式感。他的设计手法是在建筑前的平整用地上搭建平台或者复杂的大花坛，并以精致的方形花圃作为装饰，通常会将花园主人的姓名用缩写字母标示出来，有时则以彩色的砾石来填充成形。建筑设计的重点部分，会用精心雕琢的石刻花瓶及修剪整齐的常绿植物来强调。可能会设有中央喷泉，并用厚实的围栏标记园林，由高度规则式向不太规则的自然式过渡，视野最终会被引向远处的地平线。像雷普顿一样，尼尔斯菲尔德在给业主递交提案的时候，喜欢把设计之前和之后的不同效果通过绘图示意出来。

在19世纪中叶的30年间，尼尔斯菲尔德负责过260多个项目，并和查尔斯·巴里爵士共同统治着世界园林设计。巴里是议会大厦的建筑设计师，为苏格兰

↓约克郡的布劳顿霍尔庄园。这个错综复杂的斜坡花园在建筑的一侧，在它的旋涡形绿篱花坛里，铺有彩色的碎矿石和砾石地面。

↑18世纪，位于约克郡的霍华德城堡的景观园林。由远处的自然式园林逐渐变为规则式园林，在建筑的周围以规模巨大的花坛收尾。

邓罗宾城堡设计了意大利风格的花坛、还设计了约克郡的哈伍德宫和斯坦福德郡的特伦特姆宅邸，这三个项目至今都保存完好。他们的作品充满了设计自信，优美、自然的花坛向四周的景色延伸，犹如船头一般引领着潮流和准备为这些宏伟建筑花费巨资的主人们。

　　紧接着，一些重要的项目也接踵而来。尼尔斯菲尔德为英国皇家植物园设计了锡恩温室、宝塔和宽广步道，还有一个大花坛（如今已经被简化了很多）。在同等条件下，他设计得最好的花坛要属约克郡的布劳顿霍尔庄园了。缓缓的斜坡像一幅延展的画作一样，由建筑向上升起延伸至讲经台，通过坚实的围栏将庄园与公园隔开，一直延伸至意大利风格的凉亭，可以回望整个公园和庄园。他还设计过位于肯辛顿的园艺协会（后来的皇家园艺协会）的花园，以及摄政公园里的大道花园，那里靠近他晚年生活的地方。

　　尼尔斯菲尔德花费了20年的时间，设计完成了约克郡附近的霍华德城堡——拥有多个湖面和一个球形中央喷泉的巨大花坛，还有描绘阿特勒斯托举

↑→威特利庄园是一个规模庞大、但相对简单的方案，以纪念珀尔修斯的喷泉为中心，被一座花园凉亭所遮蔽，远处还有一间大玻璃温室。

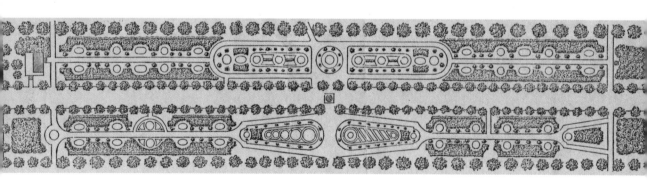

↑摄政公园设计的花坛，如今已经修复。它的细节并没有那么细致，毕竟在尼尔斯菲尔德那个年代，劳动力的成本要低得多。公共园林也因拥有更高的地位而受到重视。

世界的雕像作品。如今这些就像萨福克郡的萨默莱顿庄园的迷宫（是他所设计的多个迷宫之一）一样，都可以在园中欣赏到。其他的项目，还包括海格洛夫庄园、如今威尔士王子的皇家居所、霍尔汉姆宫和奥尔顿塔。

但是，他设计的伍斯特郡的威特利庄园运气就不大好了。这是一座意大利风格的宅邸，曾经有一个巨大的缓坡花坛，中心就是他的"怪物杰作"——蒸汽动力的珀尔修斯和仙女座喷泉，泉水可以涌到36米的高空，据说发出的巨响堪比特快列车。但不幸的是，这座庄园被毁于1937年的一场火灾，只剩下一座空壳，大多数装饰和植物都被破坏，只有两个花坛得以修复。少数大型喷泉得以幸存，但是仅存的大型石雕都被天马行空的宾·克罗斯比运到他在美国好莱坞的家中，其中最主要的一块重达20吨。不过现在，这些都已经回归旧位。

正如都铎王朝和斯图亚特王朝时期的规则式园林，最终都被18世纪肯特和布朗的自然景观园林替代。在短短的几十年后，尼尔斯菲尔德和巴里的规则式园林及夏季花卉的移栽系统，就被威廉·罗宾逊和格特鲁德·杰基尔设计的、低调的、更容易照管的园林所替代。部分原因（正如18世纪时所提出的那样）是维持复杂的规则式园林的费用十分昂贵。虽然这些维多利亚风格的宏伟设计被自然主义或更生态环保的园林设计所取代，只有很少一部分保留至今，但是英国公众仍然欣赏它们的活力。这些设计风格对于来自比利时和荷兰的园林设计师来说，可能会更令他们欣赏和满意，因为他们在规则几何形态中能够不断地找到乐趣。

埃德温·鲁琴斯

按测量标准生活

1869—1944年

1869年

德国弗雷德里希·米歇尔发现DNA。

瑞士苏伊士运河建成典礼。

《战争与和平》以书的形式出版。

英国首相亚瑟·内维尔·张伯伦诞生。

1944年

巴黎从纳粹占领中解放出来。

苏联军队解放了克里米亚。

《卡萨布兰卡》荣获奥斯卡最佳影片奖。

在这个年代，最杰出的建筑师是谁？谁是新德里的首席建筑师和总规划师？谁设计了白厅纪念碑？又是谁如果再晚点过世，说不定可以完成比圣彼得大教堂还宏伟的英国大教堂？这位伟大的人物就是埃德温·鲁琴斯，他毫无疑问是大英帝国建筑界的领军人物。另一方面，他还通过朴实的乡村建筑项目，建立了一套可以沿用百年的园林风格——爱德华风格园林，他的名字都成为这种风格的代名词。

埃德温·鲁琴斯是查尔斯·鲁琴斯船长的儿子，他是专门画马的画师，拥有个人的独立精神，他的财富来自从荷兰移民来的祖先。在极度信仰宗教的家庭氛围中长大的鲁琴斯，成了一个勤奋好学的男孩。由于小时候患风湿热病，无法参加剧烈的体育运动，这使他成为扮演滑稽角色、拥有语言天赋和视觉合成效果的高手。他们全家居住在伦敦，也在萨里乡间的瑟斯利拥有住宅，年少的鲁琴斯非常享受这里的乡村生活。他的许多兄弟们都去上学，而鲁琴斯和他的姐妹们则在家中接受教育。直至15岁，鲁琴斯才去南肯辛顿艺术学院就读，并迅速地喜欢上了建筑历史和建筑构造。他痴迷于速写，在所有来往的信件中都点缀着人物、地点或有趣的漫画，呈现出孩童般的快

←鲁琴斯伏在画板上工作，他喜欢在那里工作，直到深夜。他离不开烟斗，这无疑是加剧他最后患病逝世的原因之一。

乐。所以，他为詹姆斯·马修·巴利的《彼得潘》设计舞台布景的事情，也就不足为奇了。

从艺术学院毕业后，鲁琴斯又在维多利亚时代的建筑师欧内斯特·乔治和哈罗德·佩托的办公室里当了18个月的学徒。1888年，老成而智慧超前的鲁琴斯决定自己创业。在他的职业生涯中，即使是在最忙的时候，也从来没有减少过对自己工作的热爱。在这几十年间，他结识了许多仰慕自己的朋友（通常是女性），她们帮助鲁琴斯提升在上流社会的生存技能，并为他带来合适的工作机会。其中，鲁琴斯与格特鲁德·杰基尔的合作伙伴关系是最广为人知的。杰基尔是萨里的画家、女工艺师和园林设计师，她比鲁琴斯年长26岁，是位有才华的未婚女士，他们的友谊最初是建立在对英国乡村建筑的共同爱好上的。1897年，鲁琴斯娶了埃米莉·利顿（一位伯爵，也是前印度总督的女儿）并有了孩子。后来，在他中年的时候，鲁琴斯与维多利亚·萨克维尔-韦斯特（她是维塔·萨克维尔-韦斯特的母亲）关系密切，传言他们之间的关系不仅仅是友谊。

鲁琴斯的园林设计风格很早就成形了，他与杰基尔合作了很多项目。杰基尔是园艺种植的专家，很擅长运用色彩和自然主义的园艺风格，这为鲁琴斯规则设计的园林布局赋予活力。鲁琴斯的平面布局不过于讲究，他偏爱以建筑为中心，强烈、简洁，并且和谐一致的设计风格，在设计中大量运用紫杉树篱和围墙，在那些重要的必经之处还铺设着细节精巧的地面铺装，如在门廊和台阶处以瓷砖镶边或是运用石拼图案。鲁琴斯喜欢用柱子支撑低矮的屋顶，巨大、坚实的柱廊正好可以放置阿尔玛·塔德玛的画作。他还喜欢采用下沉的规则式水池、水槽和小溪里流动的水。因此，当你发现鲁琴斯在他未完工的利物浦大教堂里设计了下沉的圣坛、管风琴和源源不断流淌的圣水时，就不会感到惊讶了。

鲁琴斯在接受《乡村生活》杂志创始人爱德华·哈德森的采访后，哈德森以极大的热情展现了鲁琴斯的设计作品。劳伦斯·韦弗为鲁琴斯园林拍摄了乡村生活黑白照片，当时那些照片都是崭新的，通过它们你会发现鲁琴斯作为建筑师的敏锐眼光。他知道如何及何时恰当地运用铺装，就像今天一样，当花卉覆盖了铺地边缘的时候，被植物柔化了的地面看上去依然简洁、大方而且引人注目。这种大胆且充满活力的设计，已经被现今种植的浪漫色彩所遮盖，以至

上图 鲁琴斯的画作，为他的朋友格特鲁德·杰基尔位于芒斯特德伍德园所作的初步设计。
这是一座隐匿于园林中的、相对低调的建筑。

下图 《乡村生活》杂志中，弗利农场敞廊和水池的照片，这是鲁琴斯于17世纪扩建的、
位于伯克郡的房子。鲁琴斯喜欢长长的低矮屋顶，即使在今天看来，它的外观也很现代。

于被认为是理所当然的设计了。

鲁琴斯乡村建筑和园林的工作，时常受到经济环境影响。第一次世界大战期间，园林建设工作几乎完全停滞，直到20世纪20年代末才逐渐复苏，但在20世纪30年代又跌入谷底。但那些早期的园艺作品，都成为鲁琴斯20世纪的杰出代表，如芒斯特德伍德园（杰基尔自己的居所）、各类果园、戈达兹花园、阿博茨福德园、马什法院、富乐农场，以及林迪斯法恩和爱德华·哈德森的宅邸。随着20世纪的到来，鲁琴斯采用了一种更经典的设计方式——他的"文艺复兴"时期，其中最著名的代表作就是约克郡的希思科特别墅。

↓位于英国萨默塞特的皇家园林：从维多利亚风格的阳台花园，俯瞰由鲁琴斯设计的平台花园，并由杰基尔负责种植。花园最右边潺潺流淌的小溪和半圆形的水池已经成为20世纪花园设计的经典标志。

↑1932年，为世人所熟知的蒂耶普瓦勒纪念碑，用于纪念索姆河战役中牺牲的英国士兵。在法国，鲁琴斯设计了许多令人难忘的美丽墓园。

从新德里的总督宅邸看向西边，是充满现代感的凡尔赛宫。红砂岩雕刻而成的喷泉，坐落在三层莲花基座上。

↑总督宅邸的西边。在鲁琴斯访问新德里期间，他对当地的项目管理和工艺感到失望。在所有鲁琴斯的园林中，即使是与杰基尔合作的花园，都是简单和斑驳不均的。

他的作品也开始在各处出现，比如迪佩附近的埃尔波伊斯和爱尔兰的羔羊岛。大迪克斯特豪宅是纳撒尼尔·劳埃德的住所，纳撒尼尔是克里斯托弗·劳埃德的父亲。这座豪宅是鲁琴斯回归本土风格的代表作品。德罗戈城堡位于德文郡的山顶，有着军事堡垒般的外观和规模，但其实是一座带花园的乡村住宅。

劳伦斯·约翰斯顿

设计远景和围合空间

1871—1958年

1871年
巴黎公社自3—5月在法国首都建立新型政权。
威尔第的歌剧《阿依达》在开罗首映。
国王伊曼纽尔二世统一意大利。

1958年
赫鲁晓夫成为前苏联总理。
伯特兰·罗素发起核裁军运动。
"鹦鹉螺号"成为第一个在北极航行的船只。
罗马教皇十二世宣称圣克莱尔是电视机的守护神。

劳伦斯·约翰斯顿是个谜，没人了解他，多数人都觉得他含蓄寡言，然而他却创造出了海德科特花园——被公认为世界上出众的园林之一。杰出的园丁都具备运用植物装饰空间的技能，但是能首先创作出空间，并将这些空间贯穿组织成为园林作品，就是完全不同的技能了。约翰斯顿就是为数不多的、两者兼备的奇才。

约翰斯顿的墓碑上有一枚精心设计的盾徽，表明他渴望成为一名英国人。约翰斯顿于1871年出生在巴黎，父亲是巴尔的摩的银行家，母亲拥有大笔遗产，他的大部分童年时间都在欧洲和纽约度过。在当时，富裕的盎格鲁－撒克逊人认为欧洲是廉价生活和丰富文化可以并存的地方。年轻的时候，约翰斯顿和母亲格特鲁德住在一起，母亲对他很严格。后来母亲再婚，在伦敦嫁给了查尔斯·温斯洛普，当第二任丈夫在1898年去世的时候，她便成为拥有两份继承财产的女人。

1897年，约翰斯顿毕业于剑桥大学三一学院，成为有史以来第一个获得二等学位的毕业生。他把英国看作是自己的祖国，因而在1900年加入了英国国籍，并以此身份参加了南非的第二次布尔战争。约翰斯顿在部队迅速晋升成为军官，他却发现自己不属于这里：他实际上是个美国人，一个身材矮小、有着沙色头发、古板守旧的男人，虽然他心甘情愿地付出努力，但是他没有一个军官通常拥有的附属条件——没有土地，也没有血统谱系关系。直到1913年，他都只是一名陆军少校，此后一直沿用这个军衔。1914年，第一次世界大战爆发，年

↑海德科特花园，以其被划分为不同风格"空间"的设计方式而闻名于世。这是一个大尺度的、带有几何形绿篱的规则式花园，穿过修剪整齐的树篱，到达一个小巧、简洁的圆形水池花园，随后可以看到被修剪成建筑山墙形式的绿篱墙体。

近43岁的约翰斯顿回到军队继续服役，经历了两次受伤和一次死里逃生。

约翰斯顿的母亲格特鲁德和儿子一样享受英伦生活。1907年，她买下位于科茨沃尔德的海德科特花园，包括农场和哈姆雷特农庄。在悬崖上俯瞰伊夫舍姆山谷，就只有一棵巨大的雪松和栽种了一些玫瑰的河床。当时，约翰斯顿在诺森伯兰农场工作，格特鲁德对他非常严苛，可以说是海德科特花园吸引着他一次次的南下，来到母亲的身边。在这里，有单独的侧厅专为他私用，他可以在这里画画、摆放古董或练习钢琴，还可以在改造过的谷仓里玩壁球。

约翰斯顿结合军旅生活的经验，接手管理海德科特花园，但并不是很成功，之后他将注意力转投到园林设计当中。而作为庄园的主人，格特鲁德接管了庄园，使约翰斯顿得以全情投入到全新的园林设计尝试中，将他人生中所积累的游历欧洲园林的经验充分运用其中。虽然格特鲁德紧缩财政预算，满足不了约翰斯顿所追求的效果，但他的方案还是极尽奢华。约翰斯顿的母亲像其他人的母亲一样，很清楚自己的儿子缺乏商业头脑。

↑ 约翰斯顿和他的园丁团队。在他离开海德科特花园居住在法国花园的时候，他委托他的
工作人员，继续执行他为海德科特花园所作的设计。

← 视线由一组红色的花卉、台阶和亭子引向几何形的高脚树篱，以及通往远处的风景。

　　当约翰斯顿从第一次世界大战归来的时候，由于整个园林没有被好好打理，
急需恢复活力，他便欣然接手了这个任务。他意识到自己需要一位严谨、全面的
专业人士的帮助，于是雇用了曾在温莎城堡工作过的弗兰克·亚当斯作为园林主
管。亚当斯在海德科特花园的建造过程中，一直充当约翰斯顿的得力助手，直至
1939年去世。

　　海德科特花园从建筑向外延伸出去，即使建筑本身没有刻意地结合园林一起
设计，但约翰斯顿这个天才，在创建整个园林过程中（两次世界大战期间），仍
然让建筑与园林擦碰出火花。他设计了一系列由树篱围合的园林空间，从一个
空间通向另一个空间，每一个空间的植物都具有某种独特性，来形成彼此之间
的对比效果：比如一个简洁的花池、一个图案繁杂的低矮树篱花园，还有一个
夹竹桃园。复杂的种植组成了白色花园、牡丹园，或是一组红色的路边种植。
而远景的设计，又引导视线越过大片风景到达远处较低的景点。令人印象深刻
的是，这里既有宁静、朴实、简单的种植空间，也有繁复、密集的种植空间；
一些很简洁的空间，其尺度是相当巨大的，比如剧场草坪。整体来说，这里的

园林，总是给人带来一种家庭生活般的和谐美感。

其实，约翰斯顿并不完全是含蓄寡言的，也并不厌恶社交，只要谈话内容涉及园林，他还是愿意参与的。他和园丁诺拉·琳赛成了亲密无间的好朋友。和他一样，琳赛也是一位技艺精湛的园林爱好者，曾经设计过诺福克郡的克利夫兰和白金汉郡的克莱夫登庄园，在她买下西辛赫斯特之前还为维塔·萨克维尔-韦斯特设计了朗农场。约翰斯顿还结交了鲍比·詹姆斯和梅杰·爱德华·康普顿，他们都在约克郡拥有自己的园林作品，分别在圣尼古拉斯和纽比霍尔。约翰斯顿还参加了寻找植物的旅行探险，有时他也会令队友感到抓狂，比如著名的收藏家弗兰克·金登·沃德和乔治·福斯特，他们就被约翰斯顿的挑剔及企图带着佣人一起探索荒凉、未知地区的事情感到烦恼。当然，约翰斯顿的参与也有积极的一面，比如发现了一些新的植物物种，如金丝桃属植物海德科特薰衣草和十大功劳属植物长小叶十大功劳。经过他的支持和推广，这些植物成为现代园林界的植物中坚力量。他推荐的海德科特薰衣草，成为薰衣草品种中最流行和最受欢迎的品种之一。

与此同时，他的母亲格特鲁德和她的许多同龄人一样，在法国的里维埃拉度过冬天，远离了海德科特花园所在的寒冷的多风山区。到20世纪20年代早期，她身患老年痴呆症，住进了那里的疗养院。约翰斯顿自己的身体也不好，但他仍决定在附近购买一处房产。他选择了芒通附近的塞雷·德拉马东花园的一所农舍。他每年会抽出几个月的时间，在这里建立一座园林。这座庄园不像海德科特花园那样复杂，而是一组精心设计的、色彩精妙的梯田花园，可以用来种植那些不适合在海德科特花园生长的娇贵品种。从10月中旬到5月，约翰斯顿待在法国，剩下的时间则在海德科特花园内度过，忙着发展他的园林作品，等到冬季再把它交给亚当斯，继续他伟大的柱石花园及森林花园项目。约翰斯顿的母亲于1926年去世，但令他大为懊恼的是没能继承她的财产和投资，而是只有每年的利息收入。因此，他那些对两个园林更伟大的改造计划最终都没能实现。

第二次世界大战期间，约翰斯顿仍留在被德国军队占领的法国，直到1940年意大利人参战后他才乘船撤离到英国。海德科特花园被部队征用，它巨大的厨房花园被用来种植蔬菜以供应当地的医院。这完全违背了约翰斯顿的初衷，他希望海德科特花园是属于他和朋友们的私人领地，不愿意向公众开放。

↑一些海德科特花园的园林空间非常简洁，细节也不繁复。这样的设计看上去多么的法式：树木被种在铺满沙砾的地上，明亮的光线和浓重的阴影，就像在乡间的小广场。

到1942年，曾经折磨他母亲的痴呆症开始给约翰斯顿带来麻烦。园林也开始随着时间的推移而衰败，他最爱的植物再也没有人来修剪，而亚当斯——那个经验丰富的指导主力也已经去世。

单身或者无子女的园林主最终都会寻找机会，以确保他们去世后园林的未来发展，对于如此大规模的、拥有大量树篱形态的海德科特花园来说，更是如此。到20世纪40年代末，欧洲因战争陷入贫困，还不是公众参观奢华园林的时候，而且当时汽车很少，游园的风气还没有形成。最终，海德科特花园在1948年被移交给了国民托管组织，成为该组织的第一个独立于建筑的、可供参观的园林（建筑部分在夏季仍为约翰斯顿所用），并且一直亏本经营。这开创了国民托管组织的先例。如今，该组织已经拥有并开放了更多的杰出园林，并且使这些园林的状况比过去更好，这是世界上其他任何一个托管组织所不能比拟的。

偶尔才回海德科特花园居住的约翰斯顿，最终定居在了塞雷·德拉马东花

←↑在约翰斯顿所处的年代，塞雷·德拉马东花园是一个拥有台地花园、可以远眺小山谷的乡村别墅。它位于郊区，茂密树木为它提供私密保护。

园，并在那里生活了8年。令人欣慰的是，在约翰斯顿将海德科特花园移交给国民托管组织的十年后，由维塔·萨克维尔-韦斯特创作完成了第一本园林指南。

塞雷·德拉马东花园没有被移交给国民托管组织，而是留给了约翰斯顿的朋友诺拉的女儿南希·琳赛，这缓解了海德科特花园的资金问题。但是她难以承受庄园后续的维护费用，最终花园还是被售卖了。直到20世纪80年代，海德科特花园才得以修复，但那时约翰斯顿的这栋乡间别墅已经完全荒废了。但它还是保留着从前的影子，海德科特花园也被维护得很好，不过如今园林的流行使它变得异常热闹。然而，约翰斯顿从来都没法为这座园林的维护提供足够的资金支持。约翰斯顿肯定也发现，要维护这么一个巨大而精致的园林是非常昂贵的。

与现今崇尚的自然种植方式相比，海德科特花园可能会显得有些缺乏活力，所有的一切都被小心翼翼地安排在封闭的树篱里。约翰斯顿的创作才华在于他能将自己的植栽天赋与创造空间的能力结合起来，而这一切都是靠他的一双手来创造实现的。

罗素·佩吉

比例和构图大师
1906—1985年

1906年
当时世界上最大的船只"卢西塔尼亚号",从格拉斯哥的坎纳德线起航。
英国诗人约翰·贝杰曼出生。
拉赫玛尼诺夫的《第二交响曲》完成。

1985年
米哈伊尔·谢尔盖耶维奇·戈尔巴乔夫在前苏联掌权。
英国南极考察队在臭氧层上发现了一个空洞。
DNA首次运用于刑事案件中。
南非结束了禁止异族通婚的禁令。

罗素·佩吉是欧洲二战后为数不多的、保留传统规则式园林的设计师之一。他的作品无论人小、无论私人的或公共的,几乎都是静谧、优雅和低调的。尽管他本人并不太在乎薪酬,但他经常为富有的客户服务。由于他的许多项目都是为私人定制的,再加上佩吉的腼腆寡言,所以在业界以外,他可能并不为大众所知。但实际上,他一直都受到极大的尊重和市场高度的认可。在今天,他的作品也因优良的品质再一次得到公众的广泛认可。

佩吉是一名律师的儿子,曾在卡特豪斯学校接受教育。就像格拉汉姆·斯图亚特·托马斯和克里斯托弗·劳埃德一样,佩吉很早就对植物和园林萌生了兴趣,这为他后来成为园林设计师打下了基础。他本人一直都很消瘦,五官棱角分明,而且总是烟不离手。他在卡特豪斯学习之后,又在伦敦的斯莱德艺术学院学习了3年,之后又去巴黎学习了5年的艺术,期间他遇到了安德烈·德·维尔莫兰——著名的法国园林公司的继承人。这个经历对佩吉的影响很大,从此他的事业开始起步,工作项目接踵而来(他认为法国的一个图书馆设计对他的美学教育产生了奇妙的影响)。佩吉在巴黎的几年里,也有机会去参观法国的建筑和伟大的17世纪法国规则式园林。就是在这里,作为一位能力出众的植

→纽约弗里克收藏馆花园(详见第116页佩吉画的设计图)。佩吉擅长在草坪旁边设计简洁、规则式的水池,这样的安排,使人无论是在树荫里还是在阳光下,都会感到舒适。

栽者，佩吉开始意识到，在创造园林的时候，形式和结构比植物要重要得多。佩吉成为安德烈·勒诺特尔忠实的追随者，因为他认为要以艺术家的方式设计园林，即首先要明确所设计实体之间的关系，然后再将植物加入其中。

1932年，佩吉回到英国，他被景观建筑师理查德·苏代尔雇用，开始在萨默塞特的朗利特工作，并进行一个19世纪50年代延续下来的项目。很久之前，当"万能"布朗的园林覆盖了原有的几何式花园之后，在朗利特房前屋后的规则式园林就消失殆尽了。佩吉计划修复一些规则式园林，在建筑周围打造更加吸引人的、适宜环境居住的园林作品，比如移除一些树木，再种植一些树篱、色彩鲜艳的开花乔木和灌木。

佩吉的名声渐长，在1934—1938年，他受邀为《景观和园林》杂志工作。1935—1939年，他与当时最受敬重的英国景观建筑师杰弗里·杰里科合作，还和其他建筑师及室内设计师一起设计了许多著名的项目，如皇家小屋、温莎城堡、牛津的迪奇利公园、肯特的利兹城堡，以及位于萨默塞特切达峡谷的、华丽的穴居人餐厅建筑。法国和比利时的项目还持续进行，与此同时，他还在雷丁大学讲学。

随后战争爆发，这期间佩吉曾在法国、美国、埃及和锡兰（斯里兰卡）进行政治斗争的工作。毫无疑问，他慢慢熟悉了所游历国家的不同气候和适合当地生长的花卉。战争结束后，他在巴黎定居，还找到了很多法国和比利时的客户，偶尔也有瑞士的。1947年，他娶了他仰慕的开悟大师乔治·葛吉夫的侄女——琳达·葛吉夫。紧接着，他们的儿子大卫出生了，但是这对夫妇在1954年离婚。佩吉很快再婚，娶了诗人勒内·多马尔的遗孀维拉·穆洛娃·多马尔。

战后的英国成了毫无生气的地方，食物和衣服都是限量供应的，公共财政空虚。所以，政府决定在1951年以伦敦泰晤士河南岸为中心，举行一场庆祝活动。这是一场庆祝复苏的庆典，希望生活能够回归生机与色彩，并预示着情况终将好转。事实上，它是一个巨大的游乐场，也是各种创新、发明的展示场

↑佩吉的草图，为英国庆典而设计的贝特西公园的亭子。为了缓解战后的忧伤，这时所有的一切都是鲜明而愉快的。

← 年轻时的佩吉。

地。佩吉负责这个庆典的景观设计，他设计的规则式中央空地，因为种满了荷兰捐赠的、色彩鲜艳的郁金香，而使空间充满喜庆的气氛；场地与大片色彩艳丽的植栽共同创造的延绵色彩，在整个庆典期间内延续。整个景观设计虽然不算细致入微，但它却给整整一代人留下了快乐的记忆。这个倾注了佩吉18个月心血的作品，还为他赢得了大英帝国勋章。

　　1962年，佩吉回伦敦定居，他的第二任妻子在同年去世。他在切尔西的卡多根广场上买了一套小公寓，在那里，他收藏了很多波斯地毯。这一年是非常重要的一年，佩吉的艺术宣言手册《一个园林设计者的教育》、托马斯·丘奇的《园林是为人的》，还有约翰·布鲁克斯（详见194页）的《室外空间》全部出版。这些都是入选20世纪园林设计书单的重点书籍，随后，几乎所有的园林设计师们都受到了它们的影响，为设计界塑造了全新的设计理念。但是，如果说另外两本是针对设计、更具有实际参考意义的话，那么佩吉的书则是意在阐释美学与半自传式的，充满了哲学道理却并不难以读懂和理解。佩吉的书具有一种动人的、普遍的引导意义，至今仍在重要的园林书籍中仍占有一席之地。

佩吉在伦敦度过了余生，不停穿梭于欧洲拜访客户。总的来说，20世纪70年代后，他的设计风格变得更加注重植栽的丰富性。在美国，他的作品有纽约弗里克收藏馆、华盛顿的美国国家植物园和纽约北部百事公司总部的雕塑公园。在英国，他为卡罗琳·萨默塞特夫人设计了拜明顿庄园，种满玫瑰的园林中有着低矮的方形树篱和白色的凉亭。肯特郡的林姆尼港，因菲利普·蒂尔登为菲利普·沙逊爵士设计的"大楼梯"而闻名，佩吉又为它的新主人约翰·阿斯皮纳，重新种植了长达124米的条形绿篱。他还在意大利罗马郊外的拉兰德里亚纳，以及拉罗谢尔的伊斯基亚岛，为英国作曲家威廉·沃尔顿爵士和沃尔顿女士工作。

佩吉作品的绝妙之处在于它的简洁，对于他来说，这是一种精神追求。他知道如何运用最好的材料和工艺，设计出精美的露台和百合水池（同时也可

↓佩吉为纽约弗里克收藏馆花园设计的透视图。这是一座不可进入的观赏园林，它屏风式的院门和精致的假窗，看起来极具地中海风情。

↑橙香花园位于罗马南部的拉兰德里亚纳。虽然在某种程度上，对于佩吉来说，这个花园显得有些烦琐。但这种紧贴地面的、朴素的绿色植栽，为香气四溢的橙树林提供了非常好的衬托。

以作为游泳池）。他的园林植物，从来不需要客户进行额外的维护，他还经常回访，以确保项目的正常运行。他的设计规划，包括修剪整齐的常绿植物和优雅、低调的玫瑰。具有讽刺意味的是，那些同样的植物，就像战后在郊外园林中看到的一样，因缺少了佩吉精美绝伦的结构设计，往往会被人们嘲笑为乏味和媚俗的。放眼看去，佩吉的种植是老式的、带有一定程度的维多利亚风格的拘谨，但是佩吉通过将它们转变为更小、更迷人的园林作品和更具亲和力的空间组合，使其具有新意。这其实就是贵族化和本土化，它们与乡村别墅的现代风格完全一致。就像室内设计师南希·特里（后来的南希·兰卡斯特）在迪奇利公园里将美丽而破旧的老房子改造成现代、舒适的住所一样，其优雅也是永

↑俯瞰伊斯基亚岛拉罗谢尔的水池，这是佩吉为威廉·沃尔顿爵士和沃尔顿女士设计的。场地内采用五彩缤纷的引进植物，这对于佩奇来说，是一种全新的尝试。

不过时的。

　　虽然佩吉完全有能力抵御过度种植的诱惑，但当客户想要尝试一个更丰富的组合时，他也能够并且乐意提供这些尝试。他在拉罗谢尔的第一个项目，是一座别墅内被植物包围的水池，需要在干旱、严酷的环境下维持植物的生长。他根据自己的经验，知道什么植物能在那里茁壮成长。后来在水源充足的时候，他就用繁茂的外来植物取代本地植物，创造出截然不同的热带雨林自然景观，园内所栽种的植物也来自世界各地。他还在摩尔风格中加入了规则的小溪，这是源自他对精神哲学家伊德里斯·沙赫作品的灵感。

　　佩吉讨厌看到他的作品被客户或者后来的业主修改，他要是看到如今他的园林作品几乎都被改造了的话，应该会非常伤心，但这也是所有园林设计师的命运。他保存最完好的作品，就是创作于20世纪50年代的、位于都灵附近波河流域的西尔维奥佩利奥别墅，它有着标志性的跌落式平台，最底部的平台形成一个简洁的矩形水池。园内使用大量的树篱划分不同空间（劳伦斯·约翰斯顿的海德科特花园对佩吉产生了巨大的影响），同时这些树篱也在地面上形成美丽的图案。佩吉的作品拉兰德里亚纳，也在低处的平台设有莲花池，水面平静、有柔和的清泉静静流淌，周围环绕着高大的常青树林。

佩吉将文稿留给了他的朋友罗伯特和著名的比利时卡尔姆特植物园的设计师伊莲娜·德贝尔德，如今这些文稿被伦敦的园林博物馆收藏，他的图纸和摄影作品也收藏于皇家园艺协会图书馆。佩吉去世后，被葬在格洛斯特拜明顿庄园的一座无名坟墓中。

↓位于都灵附近的西尔维奥佩利奥别墅。在战后时期，这无疑是一派朝气蓬勃的景象。它如此清新、明亮和开放，从意大利文艺复兴时期的别墅园林中脱颖而出。

妮可·德沃西

修剪成形的地中海风格

1916—1996年

1916年

索姆河战役的第一天，有57 470个英国人伤亡。

作曲家古斯塔夫·霍尔斯特创作了《行星》组曲。

复活节起义宣告爱尔兰共和国成立。

巴伐利亚发动机制造厂股份有限公司在慕尼黑成立。

1996年

爱尔兰共和军在英国曼彻斯特投掷炸弹造成200人受伤。

塔利班占领了阿富汗喀布尔。

第一个克隆哺乳动物——多利羊诞生。

爵士歌手艾拉·菲茨杰拉德逝世。

杰出的园林设计是一门综合学科的艺术，需要设计师具备杰出的审美意识、深刻的空间意识，以及对现场实践的良好把握，并且能够预见园林的第四维度，即时间的流逝。综合来讲，设计师运用自己的独特技能和专长，或许是来自其他学科的支持——建筑学的尺度与比例关系、绘画技能中对色彩和光线的运用，抑或是渴望通过园林设计理念表达政治、科学或者历史的观点。

妮可·德沃西的个人魅力源自时尚界，尤其是她那优雅、时尚的巴黎风格。作为爱马仕的设计师和造型师，她成了一个传奇人物。她出生时的名字叫妮可·卢埃林，是有着威尔士血统的巴黎银行家的女儿，她的母亲来自法国普罗旺斯的阿维尼翁，后来妮可在那里花了10年时间设计她的园林。

二战爆发时，德国人即将占领巴黎，她和大多数人一样逃离了南方，带着两个孩子勉强维持生计。她为人务实，而且足智多谋，在种植蔬菜的同时，还想办法利用手里仅有的材料做些时髦、漂亮的衣服，并且乐在其中。她

↑ 路夫耶尔园的建筑下方、修剪整齐的薰衣草，让人想起国际象棋棋子。

← 晚年的德沃西，拥有一如既往的时尚气质和健康的小麦肤色。

甚至还从事过邮递员的工作，但是精彩的生活从未远离妮可·德沃西。她遇到了与她有艺术共鸣的伙伴，包括前卫作家格特鲁德·斯泰因及她的合伙人艾丽丝·托克拉斯。

　　战后，德沃西举家搬回了巴黎的富人区——奥特鲁区，并买下了一栋18世纪20年代罗马风格的豪华别墅。20世纪60年代，她成为广告代理人，随后又成立了自己的新视觉公司，公司就设在香榭丽舍大道的一个地下室里，这里紧邻总统府，并曾经作为煤炭仓库。从此，她定期前往纽约，为众多的国际客户提供现代风格的各种产品，从布料、鞋子到桌布，生活如赛跑一般忙碌，但她乐在其中。新视觉的标志设计不但标示出她名字的缩写字母，同时也表达了她迷人而严谨的生活。她衣着优雅，与职业相匹配又非常简洁。她最喜欢穿米色衣服、梳着高挽发髻，开着她心爱的绿色奥斯汀公主敞篷车。

↑薰衣草露台，正在进行一年一度的修剪。灰绿色叶子的植物与深绿色的常青树一起种植，是德沃西花园一直沿用的基调。

60岁时，德沃西减少了工作量，专门为爱马仕工作。选择面料是她的专长，她将独到的设计运用到每一个产品上，使其拥有简洁而时尚的外观。她在69岁时退休，在法国南部享受更加宁静的生活和更加充足的阳光。她曾经和丈夫在波尼厄的吕贝宏村居住了一年，他们住在一座旧礼拜堂里，后来这里被改造成电影院。1986年，在丈夫去世后，她的生活又有了一个全新的开始。

从一个狭窄的山谷往南看，在博尼约边界的一条街道上，有一处被称为路夫耶尔（意为母狼）的破房子，这样称呼它的原因据说是在1957年，该地区的最后一匹母狼在那里被杀死了。这所房屋位于地块的中心位置，既有私密感，又拥有良好的视野，因其已经完全荒废，所以可以对内部空间进行随意调整。德沃西买下了它，并且在接下来的10年中，把它变成了在法国最具影响力的园林作品。虽然这个园林很小，但是每个见过它的人都对它赞誉有加，路夫耶尔园也为普罗旺斯园林树立了现代风格的典范。从那以后，它被法国政府指定为意义非凡的园林作品。

如今，路夫耶尔园依然延续着当年建造时的精髓，除了水池以外，大部分结构都没有改变，仍然为私人拥有。德沃西因骨质疏松，在有坡度的园林里生活太困难，所以在逝世前一年把园林卖了。在巴黎生活的美国印刷商朱迪·皮尔斯伯里买下了它。

路夫耶尔园就是一座当地土生土长的园林，石墙支撑着台地花园，建园采用的方法就像当地种植葡萄一样。石槽和石球在绿植和开放空间中作为点缀分隔，松树、杨梅树、丝柏、红松都属于当地典型的农业景观，这些都是几千年来土地利用和集约管理方式的一部分。德沃西采用了类似手工养护的方式照顾她的灌木，在春季和秋季修剪它们。她没有把植物统一修剪成几何形，而是根据每一棵植物的独特形态单独修剪，以形成最佳的枝干形态。她的这种修剪手法变成了她的特点，不浮夸而且很有亲和力，通过绝妙的技法结合立方体、球

↓德沃西拥有将大量修剪成形的植物聚集在一起，但不让它们看起来拥挤、混乱的能力。其中一些植物体量足够大，足以成为小一些植物的依托。

体、半球体、圆盘和石板，营造舒服而平衡的氛围。虽然变化多样，却仍然静谧、和谐。而且，她能以自己独特的方式，完美地为景观创建出令人愉悦的框架。德沃西之所以把一些植物修剪成奇特的造型，包括标志性的平顶铅笔形丝柏，是因为她起初购买了一批廉价、部分损坏的植物。

园林的形状有着规则的韵律，花园是主要平台的焦点。比如，其中一种是修剪成形的薰衣草，它的风格更倾向于普罗旺斯种植的、用来提炼精油的成排薰衣草，而不是文艺复兴园林的风格。在吕贝宏，阳光相当充足，它创造出园林时刻都在变幻的生动景象，这正如园林所拥有的、多种多样的、坚实而有节奏的植物形态一样。令人诧异的是，德沃西竟然没有采用盆栽植物。她一直都有一位园丁帮忙，并不缺乏去浇水灌溉的劳动力。园内的花卉，就只是种在地面上，而不是在花盆里，这也是她追求简洁风格初衷的部分体现。这个环境其实是非常亲切的，在阳光下和阴影里都有大量可以休憩的地方，你可以坐下来独自欣赏景色，也可以和其他人一起围坐在桌边交流。

德沃西的设计不是停留在图纸上，虽然她也喜欢从杂志中吸取灵感，但她更喜欢现场调试，通过反复调整直到满意为止，这种办法很有效。她在帮别人设计园林时，也采用同样的方式，这也是她成功的法宝。她的客户甚至包括电影导演雷德利·斯科特和法国文化部长雅克·朗。她还积极地鼓励当地的园林设计师们从事园林，比如雕塑家马克·努切拉和设计师阿兰·大卫·伊杜。

路夫耶尔园创建10年后，她对它失去了兴趣，同时也发现越来越多的问题和麻烦，于是她把它变卖了。又在莱斯布雷恩斯村的高处买了一块长满灌木的平地，打算在那里建造一所新房子和园林。裸露的岩石和藏着松露的矮树丛，营造出更简洁、更纯粹的园林风格，也许与她所欣赏的日本园林理念一致。不幸的是，这个园林在她逝世前没能最终完工；庆幸的是，路夫耶尔园在她离开后一直保存完好。

沃的路夫耶尔花园，只使用天然的，当地的植物和材料，德次西的园林，经常使用一段水平的小径穿越一个平台

佩内洛普·霍布豪斯

遵循文艺复兴法则的现代风格
生于1929年

1929年

华尔街崩盘引发大萧条。

斯大林将托洛茨基流放。

密斯·凡·德·罗设计了巴塞罗那椅。

近年来，有许多女性园林设计师们成功地进入园林设计行业，并在国际舞台上占有一席之地，来自英国的佩内洛普·霍布豪斯可能是其中最知名的一位。确切地说，21世纪末，她和罗斯玛丽·维里一同成为美不胜收的英式乡村园林的代名词，并享誉世界。

佩内洛普·奇切斯特-克拉克是她出生时的名字，她的家位于北爱尔兰卡斯勒道森附近，在莫约拉公园拥有一座18世纪的豪宅。她的父亲和哥哥都曾经是国会议员，哥哥詹姆斯后来成了北爱尔兰的总理。她在剑桥大学的格顿学院（女子学院）读书时，与植物学家约翰·瑞文成为好朋友。大学里不同学科的交流联系，使她在良师益友的陪伴中受益匪浅。1951年，她获得经济学学位，并于一年后结婚。

她的丈夫保罗·霍布豪斯，是住在萨默塞特郡哈德斯宾别墅的、阿瑟·霍布豪斯爵士的儿子。在他们婚后的几年中，总共养育了三个孩子。在哈德斯宾斯别墅中有个小花园，她在那自学了植物种植和实用的园林技术。在有了足够的积蓄后，她购入了佛罗伦萨附近的一所农舍，并住在那里。同时她开始参观、探访意大利文艺复兴时期的别墅园林，借此机会学习结构和比例，以及园林如何与建筑建立联系，她的园林之旅遍布意大利、法国和德国。

1967年，保罗的父亲去世后，霍布豪斯夫妇搬进了哈德斯宾别墅。这里的别墅园林是由保罗的祖母在爱德华时代建造的，但是自二战前就没有好好地打

↑霍布豪斯总爱穿着园艺工作服，尽管在大部分时间中她都是在给世界各地的园艺爱好者演讲。

↑汀汀赫尔别墅路边种植的一组粉红色的花朵。霍布豪斯开创了一种浪漫的英式风格，比杰基尔的风格更简洁，又比传统的乡村花园要精致得多。

理过，现在正是让它重现光彩的时候。霍布豪斯采用多样的植物种类建设这个园林，这种方式对于更大尺度、更复杂的园林来说未必恰当。她的著作《乡村园林设计师》也在此时创作完成，并在园林界广受好评，尤其是来自东萨默塞特郡兰布鲁克的园林设计师和作家玛杰丽·菲什，还有德文郡奈茨海斯庄园的希斯科特·艾默里。霍伯豪斯的婚姻在维持了31年后破裂，她于1983年离开了哈德斯宾别墅，开始自谋生路。后来哈德斯宾别墅被租给了一对加拿大夫妇——诺里和桑德拉·波普，他们在有围墙的花园边界上，创造了色彩丰富的植栽设计，这使得哈德斯宾园远近闻名。但令霍布豪斯失望的是，她的儿子尼尔将有围墙的园林铲平，为新的种植方案举办了一场设计竞赛，但均未实现良好效果。最终哈德斯宾被售卖了。

离开哈德斯宾后，霍布豪斯的孩子们也长大了，于是她搬到了不远处的汀汀赫尔别墅——一所由国民托管组织拥有的18世纪建筑。其中占地3公顷的园林是菲利斯·瑞斯在20世纪30年代至40年代间创建的，追随同时代的海德科特花园和西辛赫斯特城堡花园的风格，在这里设计了一系列精致的、规则式园林空间。对于霍布豪斯来说，租住在这里使她有机会在一个规划好的布局中进行大胆的园林设计，充分发挥她的设计热情，以及精心种植色彩缤纷的植物。而且在与约翰·马林结婚后，霍布豪斯也不再有经济上的顾虑。马林是一位充满激情的园林设计师，同时也是伯明翰大学的退休教授，他们还雇用了一位全职园丁。

汀汀赫尔别墅是一座贯穿着直线型几何空间景点的园林，其中一些是通过植物色彩定义的空间，还有一些是通过喷泉或者树木的修剪方式定义。池塘园是汀汀赫尔别墅最为人熟悉的场景，由石头围合的水渠直抵被色彩包围的草坪中央，然后是古典的开放式长廊。还有一座伊斯兰摩尔式园林，景观设计师希尔维亚·克劳指出，它采用的这种轴线对称水渠，是霍布豪斯在之后的园林设计中多次运用的主题。其中最为人所知的，是她为英国政府遗产机构在沃尔默城堡设计的有围墙的园林，人们曾在这里庆贺英国女王的95岁生日。

规则式的布局和艳丽的植物盆栽是汀汀赫尔别墅的一大特色，为园林的各个空间之间的对话提供停顿和标记，而真正让它与海德科特花园和西辛赫斯特城

↓汀汀赫尔别墅的水池花园和凉亭。也许劳伦斯·约翰斯顿能让这一切变得更简单，也让花卉种植更自由；但霍布豪斯总是在园林适当的地方，用花卉来柔化边界。

↑贝蒂斯康比庄园的马房花园碎石小径，属于现代风格，没有草坪。

堡花园区别的，是其建筑的显著优势。海德科特花园是围绕着一座建筑的混乱布局，园林只是建筑匆匆的一瞥。西辛赫斯特城堡花园则缺乏建筑重心，一系列改建过的建筑分散布置在园林中。而汀汀赫尔别墅是一座不算宏伟，但是气派、坚固的建筑，端坐在园林尽端泛着金色光芒的石座上。它因为建筑外观而闻名，从广场放眼望去，两侧是鹰顶的柱廊及修剪规整的矮树篱步道。它比另外两座园林更传统、古典、雍容华贵，同样也拥有丰富的种植。霍布豪斯当然对此驾轻就熟，但她更愿意承认自己是汀汀赫尔别墅的装饰师，而不是设计师，将设计功劳归功于菲利斯·瑞斯（霍布豪斯曾经和她简短的会见过两次）。

《园林中的色彩》一书在1985年出版之后，汀汀赫尔别墅在国内和国际上都变得有名，霍布豪斯也成为各地达官贵人们的园林咨询师。那时，英国风格在上层社会是很受推崇的。霍布豪斯从未拒绝过任何一个挑战，她欢迎各界设计师共同磋商讨论，也同时保持着自己的设计风范，并最终完成设计任务。她知道自己主要擅长种植设计，所以她寻找如斯图尔特·格雷这些接受过景观设计专业训练的合作伙伴，他们在设计和建筑技术方面的才能，正好和霍布豪斯在艺术和园林方面的才能互补。霍布豪斯在美国也很受欢迎，作为擅长演讲的园林设计师，还在有线电视和卫视电台主持了一系列名为《园林艺术和实践》的节目。

接着，霍布豪斯又设计了纽约植物园、费城花展等项目，并设计了很多私人园林，比如苹果公司的联合创始人史蒂夫·乔布斯的园林。她还在英国承接了很多设计项目，如为一个坐落在苏格兰奥龙赛岛上的14世纪遗迹建造的园林、一个皇家园艺协会的园林，以及威尔士阿伯拉斯尼的园林。

约翰·马林于1992年去世，随后，霍布豪斯放弃了汀汀赫尔别墅，在1994年出版的《论园林》中，记录了她在那里的工作，这本书的园林摄影达到了登峰造极的程度。这本书既可以作为休闲读物，也可以当作园林设计的指导用书。霍布豪斯的所有著作都具有学术价值，还有一些，比如1992年《园林史中的植物》，完全就是专业书籍。

↑纽约植物园的草本园。美国人喜欢霍布豪斯和罗斯玛丽·维里的温和的古典英式风格。

离开汀汀赫尔别墅后，她搬到了萨默塞特——一座面积0.4公顷的、属于她自己的贝蒂斯康比庄园中的园林。这是一座改造过的老式农场建筑，后面有个带围墙的园林，她从贝丝·查托（详见272页）和约翰·布鲁克斯（详见194页）的园林设计中汲取灵感，尝试采用更自然的种植。与此同时，她开始了解伊朗园林，对其进行实地参观、考察，并在2003年出版了《波斯园林》一书。最终，她离开贝蒂斯康比庄园，搬到了离儿子较近的哈德斯宾别墅的马厩公寓。但当她的儿子决定出售哈德斯宾别墅时，依旧钟爱园林的她又搬到了带有17米×17米花园的乡下农舍。2014年，她因为杰出的园林贡献而被授予了大英帝国勋章。

克里斯托弗·布拉德利-霍尔

秩序和纯粹比例带来的和谐

生于1951年

1951年

皇家节日大厅和英国艺术节在伦敦开幕。

哲学家路德维希·维特根斯坦逝世。

第一个实验核电站在爱达荷州成立。

杰罗姆·大卫·塞林格的《麦田里的守望者》出版。

近几年来，随着媒体对园林设计潮流和观点的影响越来越深，人们也目睹了设计风格对于设计理念的超越。园林不再被看作是用来培育植物的地方，而是更像19世纪50年代托马斯·丘奇的园林（详见176页）那样，成为不需要太多维护、可以在里面休闲餐饮的场所，还可以欣赏时下流行的植物品种。那些宏伟的园林设计渐渐画上句点，园林的规模迅速缩小。富有想象力的、引来争议的园林装置，开始变得受欢迎，但这也成了公众的困惑，使它们与真正的、可用的园林相混淆。

在这片混乱的设计风格中，出现了现代园林设计的热烈支持者——克里斯托弗·布拉德利-霍尔，这是一位像鲁琴斯一样，对尺度了如指掌、对细节精益求精的设计师。这两位都是建筑师，但是鲁琴斯是古典主义风格的建筑师，而布拉德利-霍尔则偏向现代主义风格，而且相对于他的前辈，布拉德利-霍尔对装饰性植物的种植更感兴趣。

布拉德利-霍尔十几岁的时候就对园林产生了极大的兴趣，然而他一丝不苟的性格促使他一直从事会计工作，直到他渴望做一些更具创造性的工作，才来到布莱顿大学建筑专业学习。在商业建筑方面的野心，促使他从伦敦办公室的普通职员晋升为合伙人。但后来他又对园林着了迷，利用晚上和周末的时间参观园林，但他不仅仅是为了了解植物而购买它们。他很欣赏约翰·布鲁克斯的著作《室外空间》，在参观大迪克斯特花园时，他发现自己不仅推崇鲁琴斯的空间设计，同时还欣赏克里斯托弗·劳埃德的设计。

↑克里斯托弗·布拉德利-霍尔是一个谨慎而热情的植栽爱好者，他狂热地追求建筑的精准性和比例关系。通常这两种截然不同的风格，不会在一个人身上共存。

一门由建筑协会举办的关于保护历史景观、公园和园林的课程，介绍了园林的背景知识及来龙去脉，但这却让布拉德利-霍尔开始疑惑，为什么英国园林中没有真正的现代风格。他极度渴望找到那些与他志同道合的人——那些同样认为园林的艺术时代已经终结，而启发灵感的工艺时代已经到来的人。就许多方面而言，英国园林就是文化沙漠，在德国和丹麦的现代作品的对比下显得黯然失色。直到19世纪30年代，克里斯托弗·唐纳德才真正尝试将现代主义风格带到英国园林中（然后他去了美国），随后还有约翰·布鲁克斯也做了在某种

↑1997年，位于切尔西的拉丁花园，布拉德利 - 霍尔形容这是一次"对于自然、文化和种植之间关系"的探索。

↓一个伦敦的屋顶花园。它被风中摇曳的草丛环绕，并与周围露台上的、密不透风的坚实屋顶景观形成了鲜明的对比。

程度上的尝试。

布拉德利-霍尔在40多岁的时候，由建筑师转行成为园林设计师。第一期的《园林画报》杂志上刊登了1994年切尔西花展的园林设计竞赛通知，在机缘巧合下，他赢得了这场比赛。比赛的成功帮他接到了一个园林设计项目及《电讯报》关于客户和合同的文案工作（当时他已经设计了7个切尔西园林，虽然没有被媒体大肆曝光和宣传，但他始终认为这是一个展示新事物的绝佳机会。而这个职业的福利便是由别人付钱，而你能得到公众的关注）。

1997年，《电讯报》委托布拉德利-霍尔设计切尔西园林。他的"拉丁花园"灵感，源自罗马诗人维吉尔的生活和诗篇，并获得了最佳表演奖。随后，他被委托撰写的《极简主义园林》也大获成功。直到2000年，他才将精力从建筑完全转到园林。他说："景观设计的关键完全在于细节，而建筑则在于间距关系，园林都应该蕴含着某种设计理念，并严格而精准。"2007年，他又撰写了《打造现代主义园林》。

布拉德利-霍尔协同皮特·奥多夫（详见280页）、罗伯·利奥波德和其他人一起成为"多年生植物发展组织"的成员。这个组织由布丽塔·冯·肖恩和蒂姆·里斯领导，于1994年在英国皇家植物园举办了一系列以此命名的重要会议，以促进公众大量使用多年生植物。这个倡导在20世纪初期开始于德国、由卡尔·福斯特领导，后来由理查德·汉森接手。这种更自由、更现代的种植方式，配合布拉德利-霍尔精准、和谐的金色几何作品，简直浑然天成。

在布拉德利-霍尔设计的著名园林中，为约翰·科克在汉普郡设计的伯里院落充分地展示了他所钟爱的、以网格化的形式呈现几何形态，再通过布置疏松、自由的植物柔化网格的设计风格。由于这个作品与房子另一侧由皮特·奥多夫设计的园林相邻而处，对比就更明显了。在这里，仿佛再现了19世纪园林美学的对比，以及在自然主义风格设计师威廉·罗宾逊和规则几何风格园林师瑞吉纳德·布鲁姆福德之间的对比。布拉德利-霍尔非常欣赏奥多夫的园林设计和种植方式，更崇拜现代园林的先驱者约翰·布鲁克斯，以及西班牙的费尔南多·卡伦乔（详见138页）在作品中所表现出的能量。

布拉德利-霍尔不仅喜爱纯净、宽广的种植模式，同时还喜欢以恭敬而精致的形状赋予他所热爱的植物雕塑般的形态，每种独特的植物都呈现着勃勃生

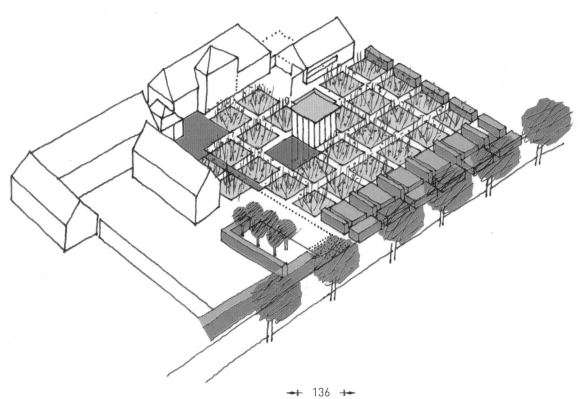

机。他考察了很多苗圃，德国的树木培育技术为他提供了专业的系统知识；日本古代和现代园林中运用植物和处理植物与周围景观关系的手法，带给他很多启发。在布拉德利-霍尔为自己设计的园林里，那些精致的、具有雕塑感形式的树木设计，是建筑设计非常生动的一部分。如今，他的工作遍布瑞典、德国和新加坡。

虽然布拉德利-霍尔是一位钟爱植物和种植的建筑师，但他仍认为，空间是园林设计的全部。因为正是空间之间的关系和经过深思熟虑的严谨思考，使得园林成为理性和情感上都令人满意的完整作品。目前，他沉迷于让园林的设计和种植成为周边景观的缩影，或者塑造景观的本身。我们十分期待能在大尺度的公共空间中看到布拉德利-霍尔的设计身影。但是，可能是他本人的性格更偏爱亲切、温馨的空间尺度，所以他的办公室一直都很小，但他就喜欢那样。

费尔南多·卡伦乔

光影、水体、几何语言
生于1957年

1957年

美国戈登·古尔德发明了激光。

伦纳德·伯恩斯坦的《西区故事》在百老汇上演。

"洞穴俱乐部"在利物浦开业。

欧洲经济共同体正式成立（即后来的欧盟）。

费尔南多·卡伦乔通常被认为是喜欢在大尺度的项目上采用极简主义的设计师。虽然这样说有些道理，但却忽略了一点——他的园林和景观设计元素中，也使用了大量的水体、树木和修剪过的常绿植物。卡伦乔设计的关键在于：无论规模如何，设计都是简洁的。他总是竭力剔除多余的元素，强化园林自身。他的过人之处便是知道如何将"少就是多"的原则运用得恰到好处，创造出美得令人震惊的作品，许多极简主义设计恰恰是败于作品的枯燥、乏味。

卡伦乔的作品里充满了浓浓的西班牙情节。他出生在马德里，清晰记得被黄杨木和茉莉花环绕的景象，那是他儿时在加利西亚祖父母的家里度过的暑假。那里的气候温和、湿润，还有在安达卢西亚炎热干燥的龙达，一家人在紫荆树林里漫步，向外眺望远处壮观的山谷。即使他在年少时就已离开那里，但那斑驳的光影对于他来说却是刻骨铭心的。

卡伦乔一直钟爱哲学，所以毫无疑问的，他在马德里大学选择了哲学专业，而正是哲学引领他进入园林领域。柏拉图不正是在园林里授课的吗？在古代，园林不也被尊为物质和精神世界之间的联结吗？他心目中的英雄——剧作家欧里皮德斯也说过："人与自然是一体的。"对于卡伦乔来说，园林就是一

→ 修剪成形的常绿植物，自由不对称地布置在建筑周围所形成的园林中，它可以成为房子的依托，避免因对称带来的紧张感。通过使用挺拔、纤细的松柏和修剪成流线型的树篱形态，来打破空间中的沉闷。

↑米诺卡的堪布萨奇园林。被修剪成枕头形的常绿植物，具有柔化网格的力量（对比布拉德利 - 霍尔的草块），同时边缘的弧度变化弱化了网格的存在感。

种在视觉上定义自然的方式，也正因为如此，他信心满满地转学到马德里的卡斯蒂略德巴提斯学校的景观设计专业，并于1979年毕业。

　　每个人都想拥有一个幸运的开始，而卡伦乔就有足够的好运。他为叔叔在西班牙的马德里别墅周围设计了一座园林。这座别墅由奥地利裔的美国现代主义建筑师理查德·诺伊特拉设计，作为战后美国空军发展的一部分，到现在仍然保存完好。这座园林随后被法国《时尚》杂志进行专栏报道，卡伦乔因此一举成名。园林中砾石、孤赏石和蕨类植物的运用，在很大程度上是受到日本园林的影响，但同时也展现出很多卡伦乔在将来设计中所特有的标志性风格——虎耳草被修剪成圆润的有机形态，使用简洁的藤架和反射出倒影的几何形水池。

　　日本龙安寺的园林简约、精炼，是卡伦乔的最爱。他还欣赏英国景观设计师威廉·肯特、"万能"布朗和罗素·佩吉，因为他认为他们懂得怎样运用空间。他也喜爱高度规则式的欧洲传统，包括法国的沃子爵城堡、意大利的波波里园林、西班牙的阿拉曼兹园林，以及拉格兰哈和阿尔罕布拉园林，这些都融合了摩尔式园林的传统，在设计中运用流水、喷泉和十字形道路的元素。这些园林的设计师们清楚地知道，该如何运用和协调水体、植物和建筑这三种元素，但对于卡伦乔而言，至关重要的还有第四个元素——光影。

轮廓清晰的直线几何体，尤其是网格形式布局在他的作品中被运用得越来越多。但是，卡伦乔也总是用修剪成自然曲线的常绿植物，与种植成直线的蔬菜形成对比；立体体块则与几何形平坦的墙体、水面和铺地形成对比。多种艺术形式之间的对比令人眼前一亮。卡伦乔并不认为在他的园林设计里，几何网格形式的使用是僵硬和强加的，即使他早已意识到直线终归不是自然的形态而是人的理性构造。相反，他把网格看作是一个被抛在空间中来帮助他理解空间的网，就像古代的亚述人用几何学来测量星星一样。对他而言，几何形态并不是园林设计的目的，而是达到使设计和谐、统一的途径。

↓位于加泰罗尼亚的阿加罗园林，由14个水池组成的网格系统，因为水面几乎与地面在同一个高度，从而弱化了网格，使其形成一个地面迷宫。

←↓位于加泰罗尼亚的马斯德莱斯伏特，是一处被柏树和古老的橄榄树包围着的、理想化的农业场地。随着季节的变化，农作物和道路之间的颜色及纹理之间的关系不断变化，有时是和谐的，有时则是对比的。
→费尔南多·卡伦乔。

卡伦乔的网格也不全是硬质的，有时会与水面穿插。他位于加泰罗尼亚的作品阿加罗园林，就是由14个相邻的方形网格式水面组成，其中一些布置着喷泉，其他则种植着白色的睡莲。这些有水流动的网格和意大利规则式园林有着异曲同工之妙，比如兰特庄园和冈贝里亚庄园，而不是如同国际象棋的棋盘那般僵硬。在米诺卡的堪布萨奇，他在邻近水面的方形花园边缘种植了低矮、修剪整齐的常绿植物，形成了阴影和水面倒影、平面几何形态与凸起的三维体量、动和静等一系列巧妙非凡的对比。

在加泰罗尼亚的马斯德莱斯伏特，卡伦乔的网格被发挥得淋漓尽致。在这个10公顷的园林里，巨大的网格在农业景观体系中找到了它的主题。从建筑前面顺着缓坡一直向下延伸的是在风中摇曳的麦田花园，铺满草坪的宽阔道路被夹在中间，道路两侧都种植着高大的意大利柏树。有时整整一个月的时间，这里都燃烧着火红的罂粟花，其他的时间，则是一片碧绿的新芽，接着还会有粗犷的稻茬景色。他将大自然的节奏、韵律及色彩变幻，直接融进这个规则式的网格中。如果说这一切都只是在地面上水平的变化，那么柏树则是与之相反的、带着人为制造的节奏，它们将人们的视线引向天空。这种对于竖向的关注，总是出现在卡伦乔的理念中。他把沙石当成园林的地板，天空则是园林的顶棚。在他位于马德里的工作室中，建筑的中心部分是下沉的，这样混凝土柱子就可以升起一个惊人的、11米的高度来支撑顶棚，这就像园内的柏树一样。

圆形总是在卡伦乔的园林里占有一席之地。他工作室的园林尽头就是一个圆形的、中央布置有小喷泉的水池，被一圈宽宽的砾石环绕。每天清晨，他的助手都会去将砾石耙成螺旋形。在一些园林的尽端则在地面上设计了圆形迷宫，这是另一种寻求神秘和沉思的方法。在佛罗里达的博拉特园林，有三个联结在一起的圆形的下沉空间（两个草坪加一个水池），三个圆浅浅地交接在一起，就像钟表

↑阿莫斯图奥拉葡萄园，种植设计使地形上的曲线呈现夸张的形式。一排排葡萄树形成的蜿蜒曲线让光影变化看起来丰富、生动。

的齿轮一样。卡伦乔对圆的应用日益广泛，还有蜿蜒的曲线，这是受园林设计师罗伯特·布雷·马克思（详见188页）和加泰罗尼亚画家琼·米若作品的影响。

　　在意大利普格里亚的阿莫斯图奥拉葡萄园中，卡伦乔花费了4年时间，创造了另外一个农业景观园林。在遵循用地自然条件的基础上，用夸张的手法种植了成排的、曲线形的葡萄树，呈现出长达2公里的曲线条纹景观。还有干砌石墙构成的更加鲜明的曲线，让这里呈现出美轮美奂的景色。但它的价值不仅如此，这个项目旨在为贫困地区和被忽视的土地带来活力。这样的景观创造，就是利用土生土长的原生态景观元素，恢复人类与自然循环的联结。它的美丽，蕴藏着不可思议的神秘色彩，或者像卡伦乔更倾向的那样，将其形容为真实、纯正。

　　如今，卡伦乔的业务已经不局限于西班牙（他在那里度过职业生涯的最初10年）。他曾设计了西班牙驻东京大使馆，在希腊、法国、美国缅因州，还有英国科茨沃尔德的丘陵地区建造园林。但无论到哪里，他总是不遗余力地发掘当地的文化，令其焕发出光彩，抑或是在一个科学的时代，重建人类和哲学的联系，使它们再一次与水体、土地、季风，还有火焰产生更多的关联。既然有那么多园林设计者认为，园林设计师应该多接触绘画、雕塑和音乐，那为什么不是去接触柏拉图、歌德、马拉美、赫拉克利特和埃庇米尼得斯的克诺索斯呢？卡伦乔很清楚地阐明："在所有的文化中，园林最能体现人类的精神价值。"

↓位于博拉特的园林。自然的粗糙曲线在这里被理想化，变成了圆形的、有阶梯状驳岸的下沉草坪和一个水池。台阶上的光影透过修剪过的、常青树篱的缝隙时刻变幻，与白色的石阶形成对比。

营造曲线园林

几何形态并不仅仅意味着直线和直角，它也可以是曲线——可以是用圆规画出的精确的圆形，也可以是抛物线优雅的路径，抑或是正弦曲线的波形。在自然界中也有很多精巧的曲线，比如按照斐波纳级数成比展开的螺纹；投入水中的卵石周围会产生一圈圈的波纹；在河口处产生的蛇形流动路线。但是，自然倾向于更不规则、更不稳定、更加变幻莫测的曲线形式。在多数情况下，大自然是瞬息万变的，那些被频繁运用的精确曲线都是人造的形态。几个世纪以来，园林设计师把它作为设计主题，使之成为更加精致巧妙的、对于自然的提炼和模仿，但它仍不完全是普遍意义上的自然。事实上，它只是几何曲线。

理想化的曲线是英国风景式园林的重要特征，正如胡弗莱·雷普顿和兰斯洛特·布朗惯用的那样。那些明显的自然风格的景观，是设计师对16世纪到18世纪初期的直线园林作出的反应。有着优雅曲线形态的树林绿化带越过了地平线，还有一望无际的绿色牧场、湖泊或者河流，这些简洁的线条在自然界里都不曾存在。还会有一丛树木和湖面上灌木丛生的小岛，但最关键的部分还是建筑，比如远处古典风格的寺庙、陵墓或者方尖碑。景观设计是对大自然进行风格化的精心改造，但同时也反映和展现了园主的审美，以及对经典学习和对于潮流思维的认知。换句话说，曲线景观和法国、意大利伟大的直线规则式园林一样，都是富有震撼力的景观。埃德娜·沃林（详见170页）汲取了欧洲的传统，特别是英国的艺术和手工艺风格，将它带到了澳大利亚，在她更有条理和结构化的设计中，总是包含了更原始的本地植物种植。

这种人为地使用曲线的概念作为一个更加民主的命题，被19世纪的城市公园引入，为民众提供公共场所。约瑟夫·帕克斯顿就在英格兰设计了一个这样的公园。弗雷德里克·劳·奥姆斯特德紧随其后，设计了纽约中央公园。水池、灌木丛、花圃、还有边缘的林地将其紧紧环绕，将中央公园从城市的直线线条里解放出来。相比贵族园林景观，这些公园采用了更大量的园艺种植，但这仍然是由人类思想所提炼设计出的自然元素。

曲线也通过现代绘画的影响力渗透到园林设计中：巴西的罗伯特·布雷·马克思采用的复杂肠形图案，灵感来源于画家米罗的作品；托马斯·丘奇在艾尔·诺维耶洛设计的著名肾形水池，无疑是现代艺术运动的产物，就像从土地表面上升起的、具有有机形状的雕塑一样。

设计师对于曲线的热爱有时还被运用到整个园林中，比如苗圃工艾伦·布鲁姆，在诺福克郡的布雷斯辛厄姆设计的极具影响力的园林，仿佛各种曲线的混合体。一条绿宝石般的带状绿地，在泪滴形状的花坛之间穿过，旁边矗立着一座质朴的凉亭。如果这样的景观处理方式扩展到几公顷大的面积，并以树木替代鲜花，那就是一个壮观的景观公园了，这就是曲线园林传统的由来。曲线远比自然优雅精致，但仍然暗含自然的存在。

在英国，设计师约翰·布鲁克斯，将现代园林设计引入到战后的流行文化中，就像美国的丘奇一样。如果说紧邻建筑的户外生活区域采用的直线设计是情理之中的，那外围的园林部分作为道路则太宽，作为草地或开放空间又太窄，因此全部采用蜿蜒的曲线空间。两侧的植物种类多样且充满变幻，让人感觉整个园林沿着中间虚设的一条平缓蜿蜒的线条流动起来。

大量的种植，而且是大尺度的使用种植，是詹姆斯·凡·斯韦登（详见200页）的核心设计特点。作为回应美式标准的、修剪整齐的草坪，他的设计将大草原唤醒，采用粗犷强韧、密集种植的本地多年生植物。他还把这种令人振奋的设计手法，运用到很小的空间中，正如他所说的，"你必须野心勃勃"。

兰斯洛特·布朗

大尺度的理想景观
1716—1783年

1716年
詹姆斯·斯图亚特在复辟斯图亚特王朝失败后，从苏格兰逃到了法国。
安东尼奥·斯特拉迪瓦里制造"弥赛亚"小提琴，现保存在牛津的阿什莫尔博物馆。
维瓦尔第出版了他的六首小提琴奏鸣曲。

1783年
英国在巴黎条约中承认美国独立。
塞瓦斯托波尔市在克里米亚半岛成立。
第一个氢气球在巴黎诞生。
《红与黑》的作者司汤达出生。

斯洛特·布朗，以"万能"布朗的名号闻名天下，被誉为是世界上最具影响力的园林设计师。安德烈·勒诺特尔紧随其后，位居第二。布朗的作品被世界各地的设计师复制、模仿，他的设计风格至今广受欢迎。

可以说布朗是在正确的时间处在了正确的位置上。当时，英国的贵族和国际贸易起家的富人们，热衷于投资乡村地产，连同房子将它们一起变成艺术作品。当然，他们自己也居住在里边，以彰显自己的显赫地位，因为园林景观象征着人的身份与地位。

潮流也在布朗的事业中扮演了重要的角色，永远不要低估人们追求时尚的热情。直到18世纪中期，在宗教传统和法国及意大利园林的影响下，英国的杰出园林都是规则几何式的，都带有强烈的花卉元素，而且直线几何形体在园林中有着至高无上的地位。重大的变化发生在18世纪早期，伴随着查尔斯·布里奇曼和威廉·肯特引领的景观运动——在他们设计的园林里，尺度巨大且几乎

↑1819年伯利庄园彩色版画。庄园位于斯坦福德郡，是布朗工期最长的项目之一。

←纳撒尼尔·丹西-霍兰创作的布朗肖像版画。厚重、皱巴巴的衣服仿佛在代表了他奔波的一生。

没有花卉元素，以此减弱园林和周边景观的区别。但在这些早期的景观园林中，依然有明显的直线线条。它们是带有隐喻或是政治含义的景观，而园林主人和宾客很乐于找寻其中的寓意。

如果说布朗是早期景观设计师当中的一员，那么他的作品必定是全新创作的，并且尽可能专注于最简单的元素，像自然的草坪、树木、地形和水体。就算含有一些建筑装饰元素，看起来也依然非常简洁。相对于传统的直线园林来说，这是一种生机勃勃且新潮的创造，这就是为什么它的吸引力如此广泛和持久的原因（尽管并不是没有其他批评者的声音）。

同时，永远不要忽略人们想要避免重复劳动的愿望，或是避免为此支付费用的愿望。17世纪的直线花卉园林为保持吸引力，在劳动力方面花费巨大。而布朗的绿色景观拥有宽阔的草坪并种植了大量的树木，既可以成为放牧的场地，还

↑德比郡的查茨沃斯庄园，有着散落的树丛和远处地平线的绿林带。布朗公园不仅产出经济作物，还可以放牧，同时也兼具美感。

可以收获木材，为园林主产生经济回报。规则式的花卉园林并没有完全消失，但是被藏在了视线之外，通常出现在有围墙的花园中。

　　布朗出生在英格兰北部诺森伯兰的乡村中，出身卑微，并在那里当了7年的园艺学徒。他非常聪明并且有雄心壮志，同时也很幸运。直到1740年，他一直都在白金汉郡的斯陀园——科巴姆勋爵的厨房花园工作。斯陀园是当时重要的园林之一，象征着那个时期的政治理念，也是园林爱好者们热衷参观的地方。但很快布朗就离开了厨房花园，并开始帮助布里奇曼设计景观，随后又受到肯特的影响，并和他一起工作了6年。斯陀园的希腊山谷，是公认的完全由布朗独立完成的作品。

布朗绘制水彩画和平面设计图的技能十分出众，当然也受到了科巴姆勋爵的影响和认可，布朗还一直为斯陀园之外的其他客户提供服务。1749年，科巴姆勋爵逝世，于是布朗和他的家人搬到了距离伦敦几公里以外的哈默史密斯。到了1751年，布朗就开始独立进行园林设计了，他称自己为"场所营造者"（而"景观园林师"这个称呼，则由他的继任者胡弗莱·雷普顿开创）。

布朗在富人圈和时尚圈非常受欢迎，仅仅6年的时间，这个聪明的乡村男孩，就被国王任命为汉普顿宫的皇家园林测绘师。这时，布朗仍然穿梭于全国各地，承接的私人项目来自不同政治派别的客户，事业发展迅速。布朗把儿子送到伊顿公学上学，并在1766年购入了亨廷顿郡的芬斯坦顿，这是一所乡村庄园。4年后，他被任命为郡长。

在布朗的职业生涯中，也不乏批评的声音。比如威廉·钱伯斯爵士（布朗的竞争对手，他是早期中国文化的推崇者），他曾在书中批评布朗，说布朗不仅是传统园林的破坏者，还是来自瓜田菜地的乡野村夫，是"种卷心菜的，名不副实"。

但这些诋毁布朗的话，并没有影响他在设计圈的人气，他依然受到众多客户的邀请，为他们设计庄园。布朗还和社会建筑师亨利·霍兰德（布朗的女婿）合作，甚至独立设计出近乎完美的乡村别墅。为了兼顾私人业务和王室的工作，布朗还雇用了几名主管和助手，其中包括塞缪尔·拉皮奇和迈克尔·米利肯。

布朗参与的园林设计有150～250个之多，每个项目都别出心裁，难以一一列举。他受雇于当时最有影响力的人物——国王乔治二世和三世，还为国家英雄马尔伯勒公爵建造了价值不菲的布莱尼姆宫，还有德文郡公爵的查茨沃斯庄园、莱斯特伯爵夫人的霍尔汉姆宫、艾克赛特伯爵的伯利庄园、考文垂伯爵的克鲁姆公园、诺森伯兰公爵的阿尼克和赛昂宫、剑桥的圣约翰学院，以及罗伯特·德拉蒙德在卡德兰占地7公顷的景观设计。他的园林设计的名单可以一直这样罗列下去……

如果想要妥善管理好一个庄园，可以完全信赖布朗，把这个任务交给他。布朗对于园林和景观的设计创作及完善维护，有时会持续25年，比如克鲁姆公园。因为他擅长采用大规模的土方移动技术，以及进行河流改道、筑坝后修建大湖面（通常有桥梁跨越），建排水系统和营造森林。他还大胆地使用从美国引进的一些当时的新物种。因此，他被尊为能力出众的建筑师。

↑牛津郡的布伦海姆宫，是布朗最伟大的设计之一。布朗在这些英式园林里，热衷于使用新树种，其中就包含了针叶树——这是在新大陆被发现的树种。

但是遗憾的是，布朗没有留下任何关于园林设计构思的论述文字，包括对于林地的树木体量、林间草坪空地、不同曲线的协调等是如何考虑的，仅留下一个账本、少量的平面图、账单和信件。由此可见，布朗是一个实干家，而不是理论家。

布朗也是一位善于经营的商人，因为对自己的工作认真负责，所以很快就

变得非常富有。他从来不会在合约中署上自己的名字，却把设计交给别人完成，所有的设计全都是亲力亲为，然后请可靠的分包商贯彻到底。他时不时地会离家几周，骑着马穿越整个国家，在一次旅行中可能会走上几百公里的距离。

更引人注目的是他与客户间的亲密关系。布朗沉着、冷静，也是个和蔼的人，尽管出身卑微，客户仍可以安心地把房子交给他进行测绘，并提供设计方案。布朗的作品将客户的形象对外展现出来，而且都是客户完全认可和喜欢的设计。不管他之前服务的客户有多新潮，通过亲密的合作，客户都可以充分了解布朗，并信任他。布朗也很谨慎，他的工作被不同政治派别的客户所接受。威廉·皮特（即查塔姆勋爵）曾写道："你不可能得到比这更棒、更明智的建议了……。我知道他是一个诚实可靠的人……，他的情感远远超越了他的出身。"所以在他去世以后，他的客户们为他在克鲁姆公园和韦斯特公园立碑铭文，即使对于著名的建筑师来说，这也是屈指可数的。

如果布朗的园林覆盖并取代了前几代伟大设计师的园林，如乔治·伦敦、亨利·怀斯、布里奇曼、肯特或者其他一些设计师，他仍然会很欣慰那些被保留的、有着与他设计意图相吻合的设计元素——这边的笔直大道和平台，还有那边的规则式园林。所有的园林都有着不可避免的命运，都会随着变幻莫测的潮流和植物生长的变化而改变，即使是布朗的作品，在他去世后也被改变了。

布朗有哪些成就呢？有人说，他破坏了传统的几何形园林和18世纪早期的意境园林。但是，就像规则式的花卉园林和象征园林一样，布朗的设计风格可能是比其他任何一种风格都更令人生厌的，可一旦设计理念被认可，就只能不断重复自身。也有人说，布朗就是一个喜欢扮演上帝的控制狂，试图创造纯粹的自然。事实上，布朗的景观是理想化的，远不像喧闹而散漫的自然风景，它们是高度程式化的几何曲线形式，是大体量的极简主义。正是因为极简，使得布朗的园林成为令人心驰神往的地方。也是因为极简，未来的设计师可以在上面叠加200年后的新型园林植物，探索未来的新品种。布朗认为，场所营造就是简洁美学原则的实践体现手段，和潮流无关，"因为'潮流'一词，在我看来，无论在哪里都是与科学背道而驰的"。

另一种观点则认为，布朗无论在哪里都是套用他惯用的模板，如弯曲的地形和水面。这也有些道理，但是所有的创意艺术家都有自己的惯用手法，并随着时间推移发展成不同的版本。需要记住的是，布朗所做的设计在当时是前卫的，并且，他还在实践中不断地磨炼着自己的风格。

↑约瑟夫·马洛德·威廉·透纳的画作《露水之晨》（展出于1810年），作品绘制的是艾格蒙特伯爵宅邸，位于苏塞克斯郡的佩沃斯。布朗栽种的树木日渐长大，不再需要围栏；吃草的牛羊也为景色增加了动态的活力，更为大树投下的阴影增加了趣味。

　　布朗从未在国外工作过。曾经有个法国的咨询项目，莱因斯特公爵愿意花大价钱聘请他去爱尔兰为他看一下别墅设计的可行性，但被布朗拒绝了，理由是他在英格兰的项目都做不完。67岁时，他在女儿家门口心脏病发作，与世长辞。

胡弗莱·雷普顿

变幻的景致和绘画倾向
1752—1818年

1752年

大英帝国采用公历。

本杰明·富兰克林证实闪电就是电。

卡纳莱托绘制沃里克城堡。

英国建筑师约翰·纳什出生。

1818年

玛丽·雪莱的《科学怪人》匿名出版。

简·奥斯汀的《诺桑觉寺》出版。

约翰·罗斯出发去寻找西北航道。

贝多芬完成了《第二十九号钢琴奏鸣曲》。

胡弗莱·雷普顿，追随"万能"布朗的足迹，成为园林建造史上的一个关键人物。可以说，他接过了布朗的接力棒，将布朗式景观园林在新的方向上继续发扬光大。抑或说，这个善于奉承的追随者，在秉承布朗视觉追求的同时，又加入了自己的实用主义倾向。

当雷普顿出生在萨福克郡的伯里圣埃德蒙兹时，布朗已经36岁了，然后雷普顿又花了30年的时间，才决定要成为一名"景观园林师"——这是他自己创造的称谓。与布朗不同，他出生在富裕的家庭中，父亲是税务官员，母亲继承了大笔遗产。

16岁的时候，雷普顿被父亲送到诺维奇的纺织行业做了5年的学徒。自此雷普顿过上了自由自在、手头宽裕的舒坦日子。仅仅两年之后，他与后来的妻子共坠爱河，并在1773年，也就是雷普顿21岁的时候结婚，父母给了他一笔创业的资金。他们的第一孩子——约翰·阿迪·雷普顿于两年后降生，最终成为一位建筑师，与雷普顿一起工作。

→《雷普顿回忆录》扉页的肖像（未知艺术家）。经纬仪、线绳和画笔，是雷普顿作为景观设计师和艺术家的象征。画像的左侧，是他年轻时的肖像，还有陶瓶里漂亮的花卉；右侧则是荒凉萧瑟的景象。

ÆT: 45.

Æt 21.

Æt. 63.

H. REPTON.

↑雷普顿正在用经纬仪测量。注意湖面左侧图纸上的折痕，可以将图纸折回来显示设计前、后景观的对比。

但雷普顿醉心艺术，无心经营生意，所以常常入不敷出。父母去世后，他就变卖了遗产，搬进了一所17世纪时建造的砖石结构的庄园。雷普顿一如所愿地成了一位乡绅，拥有了得天独厚的建造园林的条件，同时他开始探索戏剧，直到负债累累难以支持他的艺术创作。但是即使面对困难，他还是十分积极乐观的。为了赚钱，他当上了爱尔兰的公务员，希望有条件可以重新开始探索艺术生活。但他最终发现，这样无法获得丰厚的利润来解决问题，最终不得不变卖房产。

万贯家产被挥霍一空，雷普顿只能在埃塞克斯郡黑尔街边的一所农舍重新安家，并在那里度过余生。他尝试过各种谋生的手段，包括剧本写作和文学批评，但都以失败告终。不过他还是看到了曙光，虽然并不富裕，但他却在有钱人的艺术社交圈中有着广泛的人脉。他成了一位园林设计师，即便是在这个时候，他也是很随性的，他说自己只是顺便赚钱而已。并不是讽刺，他这样宣称，好的品位只能通过闲暇安逸和细致观察才能获得，因此那些投入了全部时间获取财富和名誉的人，就难以获得好的品位了。换句话说，作为设计师，雷普顿和富有的客户之间是相互需求的关系。

那时布朗已经逝世，在英格兰留下了丰富的景观画卷。但是雷普顿有两个强项远超布朗，他擅长绘画和写作（而布朗，基本没有留下任何文字著作）。

渐渐地，雷普顿的业务开始好转。他的工作方式是去拜访他的客户一至两天的时间，雷普顿是一名开朗、健谈的"客人"，并且精通艺术。他会在庄园里走一走，对标高和尺寸进行一番测量，然后回到家里制作一本《红书》，用漂亮的

↑雷普顿位于黑尔街农舍的前后对比图。设计后的景象是：满眼的鲜花、爬藤植物和果树；而设计前的景象是：嘈杂的鹅群、封闭的栅栏、若隐若现的肉铺，还有喧闹的马车。这就是设计，可以让人坐在椅子上休息，或者浇浇花，充分享受眼前的美景。

印刷体书写意向书，并大肆吹捧业主。《红书》最鲜明的特点是将雷普顿设计前后绘制的水彩效果对比图，通过折叠的折页展示出来，使设计意图一目了然。这些图很简单，也很有创意，毫不费力地吸引到客户。但是雷普顿知道这种表达方式并不全面，尽管它能表现出新、旧房子的对比，却远远不能描述出沿着那些蜿蜒的小路行走时、连续不断出现在眼前的美景，或是行走在森林幽谷间的、高低起伏的对比。但即便如此，对于客户来说已经很完美，足以向朋友们炫耀自己改造后的"新家"了。雷普顿并没有为他所提供的服务收取足够的费用，如果更有商业头脑，他可以变得更加富有。

雷普顿时常连同建筑和园林一起提出建议，和他的儿子约翰·阿迪·雷普顿（从小失聪，但也成了一名成功的建筑师），还有摄政王最喜欢的建筑师约翰·纳什合作。令雷普顿感到沮丧的是，纳什的设计充满了东方风情，但并不适合布莱顿宫。

雷普顿的项目遍布英格兰，并多集中在他的家乡东安格利亚。他甚至还设计了伦敦罗素广场和卡格根广场的园林，业主也从旧贵族到新兴富人，从诺福克郡硕大无比的霍尔汉姆城堡到德文郡恩兹利雄心勃勃的乡村改造。他还时常被要求为改建布里奇曼和布朗的项目提供建议。他的设计在哪方面更胜一筹？布里奇曼的规则式景观和布朗一览无余的景观有哪些不足？作为景观设计师，毋庸置疑他的设计能力，可以用两个词概括：方便和雅致。

有别于布朗直抵建筑的大草坪，雷普顿设计了规则式平台花园、铺着沙砾的小径和整洁的花坛，以营造出宜人的社交空间，将园林过渡到建筑。这样实用而方便的设计，在冬季是求之不得的。他很好地总结了这一点：让园林看起来更像是一个丰富的风景框架，而不仅仅是一幅美丽风景画的一部分。

雷普顿的设计更加有针对性，能对现存景观的缺陷对症下药，相比布朗宏伟、壮丽的景观风格，雷普顿的设计不需要太多的转换。他设计的河道更窄，不像布朗设计的宁静、蜿蜒的宽阔湖面。在布朗的设计中，马车并不是直接到达住宅门口，而是沿途可以欣赏到建筑和庄园变幻的景色。雷普顿坚持认为，不需要曲折的车道，一条千变万化、充满惊喜的迷人环路更令人向往。因为当时流行的技术要求，雷普顿也被要求在设计方案中添加玻璃温室。他的园林建筑通常都是

↑1808年，雷普顿为摄政王的布莱顿官所做的设计图（铜版画）。热衷于社交的雷普顿为错失布莱顿官项目而感到十分惋惜，这个项目最终交给了摄政王最喜爱的建筑师约翰·纳什。

爬满藤蔓植物的乡村风格，他还很喜欢采用爬满玫瑰藤蔓的藤架结构作为园林中的元素。

雷普顿对园林生活化的改造，遭到了两个赫里福郡乡绅——理查德·佩恩·奈特和尤维达尔·普莱斯的严厉抨击。他们公开抨击布朗和雷普顿，宣称园林都应该蜿蜒曲折，像克劳德和普桑的风景画那样。雷普顿生性温和，不愿卷入争端，只是回应园林没必要像风景画一样完美，而是应该在原生的自然荒野和静态不变的艺术之间，恰到好处地折中和成为媒介，没必要为了取悦观者而矫揉造作。你可能会觉得雷普顿的回应过于冷淡，但是请记住，佩恩·奈特和普莱斯生活的庄园里有着地形起伏的景观，而他们作为乡绅也有时间成为充满热情的理论家。但是雷普顿不同，他是繁忙而专业的设计师，需要维护自己的名誉，他曾经作为时尚人物，出现在简·奥斯汀的小说《曼斯菲尔德庄园》中，而被大家熟知。他的工作取悦了越来越多的人，他面对大众时良好的幽默感，很好地化解了这些争端（正是因为他的这种优秀的素质，雷普顿多年来一直致力于协助竞选活动，为他的朋友们赢取人心）。

　　雷普顿还从科学的角度，阐述了园林是否应该看起来像一幅风景画的问题。他对光学很有研究，并在著作中用大量的篇幅阐述它是如何影响园林的尺度感和视觉效果的。他指出，克劳德或普桑的油画，通常只展现20度的视角范围，但是在一座真实的园林里，我们的视野比绘画更开阔，视角接近180度。所以，建立真实的景观过程是更加丰富生动和多元立体的。

　　1811年，59岁的雷普顿在一次马车事故中受伤，被困于轮椅上，但他仍然坚持工作。就在这次事故之后，他最著名和广为流传的景观设计作品——诺福克郡的谢林汉姆公园开工了。他认为这是自己最完美的作品，也是他想被大家记住的设计作品。1818年，雷普顿死于心脏病，这时他的最后一本著作《造园的理论与实践简集》已经完成。

上图　这是从德文郡恩德斯勒的农舍望出去的景色。
下图　这是雷普顿的设计方案，包括增设了一处温室、宜人高度的平台、通往远处的砾石路、远处树林里的开放空间及一缕青烟，为农舍带来了烟火气息。

↑葡萄温室，摘自雷普顿和约翰·阿迪·雷普顿1816年《造园的理论与实践简集》。设计既实用又美观，方便女主人随时监管水果长势。

　　和前辈一样，雷普顿的园林作品也在他逝世后被新的设计所取代，但是他的著作仍然是园林设计师的宝贵资料。雷普顿的著作主要有三部：《园林的速写和要点》（1795年）、《造园的理论和实践考察》（1803年）和《造园的理论与实践简集》。他还有相当多的戏剧、诗歌和评论，以及精彩的《红书》，其中一些著作直到现在还被世界各地的图书馆收藏，还有一部分则在雷普顿曾经服务过的业主家里收藏着。

弗雷德里克·劳·奥姆斯特德

为城市生活和公众娱乐设计
1822—1903年

1822年
纽约最后一次黄热病大爆发。
巴西宣布脱离葡萄牙独立。
通过"塞塔石碑"首次破译埃及象形文字。
查尔斯·巴贝奇提出了关于"差分机"的设计思路，
这是计算机的前身。

1903年
古巴永久地将关塔那摩湾租借给美国。
一位芝加哥的牙医成为福特汽车的第一位车主。
第一条横跨大西洋的无线电通信成功。

纽约中央公园是世界上最受欢迎、最著名的城市公园之一。它由美国第一位重要的景观建筑师弗雷德里克·劳·奥姆斯特德在1857年设计完成，它为公园建立了到现在仍被认可的设计标准。更重要的是，时至今日它还是人们心目中公园的典范。不可思议的是，这是奥姆斯特德第一次真正涉足景观设计，从此他担任了40余年国家首席景观建筑师的职务，并参与了各种项目，如公园、住宅区、医院、墓地、火车站、大学校园和国家公园。同时，他还是一位作家、记者、编辑和重要的社会改革家。但是，令他闻名于世的还是因为设计了纽约中央公园。

奥姆斯特德经历了美国的巨变，从农村经济到大规模的城市化、工业化，以及大量移民的涌入（纽约人口在1821年至1855年增长了3倍）。在修建公园的同时，美国正经历着奴隶制改革和内战，接着就是国家重建时期，这也给了人们按照自己意愿建设城市的机会。而不是像欧洲的城市，是经历了几个世纪的缓慢积累才形成的结果。

奥姆斯特德出生于康涅狄格州哈特福德的富裕家庭，就如他的前辈托马斯·杰弗逊一样，奥姆斯特起先是个农场主，并对现代高效的农业科学感兴趣。26岁时，他在斯塔顿岛购入了一个农场，很快就成为纽约社交圈和文化圈的一分子。因为出身优越，奥姆斯特德有机会到欧洲游历，他对于英国新兴的城市

↑奥姆斯特德的肖像画，由约翰·辛格·萨金特1895年绘制。奥姆斯特德是景观建筑师，也是保护美国野生自然生态景色和植物的拥护者。

公园惊叹不已，尤其是约翰·克迪斯·路登设计的德比植物园和约瑟夫·帕克斯顿设计的伯肯海德公园。急剧的城市化导致周边的贫困及犯罪率增高，正因为这样，公园的出现变得更加有价值。奥姆斯特德回到美国后，出版了他的游记《一个美国农夫在英格兰的游历与评论》，并四处进行演讲。纽约时报委托他做了类似的美国南部旅行，随后他又出版了三部著作。后来，他成为《普特南氏月刊》的合伙人和编辑，因此可以撰写很多关于当时的社会、科学和政治等许多方面的文章。

1857年，纽约举办了一场设计新公园的竞赛，以适应不断增长的人口需要。这项建议最初是由景观建筑师安德鲁·杰克逊·唐宁提出的。奥姆斯特德当时被任命为公园的负责人，他和他未来的合伙人——英国出生的建筑师卡弗特·沃克斯合作提出了一个方案，并最终赢得了比赛。他们称该方案为"草坪计划"，是位于曼哈顿中心地带的、一块窄长的、崎岖不平且贫瘠的丘陵地块，占地315公顷，但很快就扩大成342公顷，城市在此处迅速地向外扩张。公园花了整整10年才完工。它曾经是1600名爱尔兰移民和被解放的美国奴隶居住的棚户区，这些人在工程开始前被迁出该地段。这块场地多是岩石，几乎没有土壤，所以不得不从

↓1870年的中央公园平面图。奥姆斯特德的设计，很大程度上归功于对英国新兴的伯肯海德公园的仰慕。

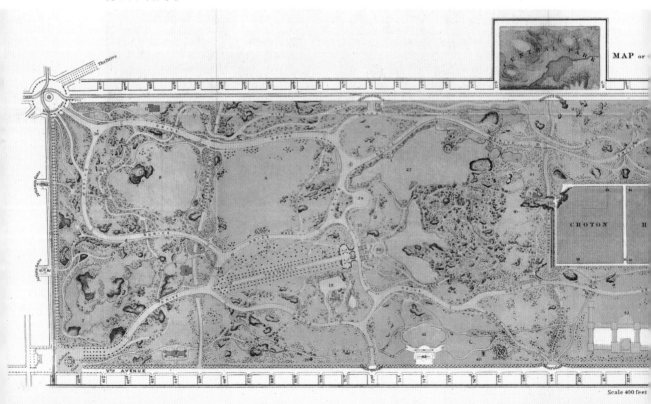

↑ 中央公园是为劳动阶层建造的休闲场所。今天它被喻为城市的绿肺，高档住宅社区都云集于此。

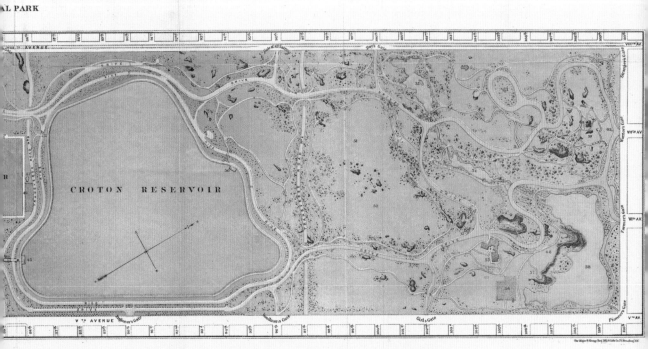

CROTON RESERVOIR

新泽西州引入大量的优质表层土，并动用了比葛底斯堡战役还要多的炸药、可以运输大树的机械设备和数以千计的劳动力。

奥姆斯特德的设计方案灵感源自他在英国的游历。作为一名社会改革家，他想创造一个人人可以享用的、自然主义风格的公园，让人们进入公园后仿佛置身于城市之外。为了避免因如此巨大的绿色空间而造成交通拥堵，他在地下隐匿了三个被植物覆盖的、东西方向的下沉式路网。另外一个方向上是三条蜿蜒曲折的南北向车道，以及卡弗特·沃克斯设计得非常实用的36座桥梁。方案中的水体是服务于城市的巨大水库，满足了实用和休闲的双重目的。

作为休闲公园，它不仅为体育锻炼和冬季滑冰提供了一方天地，还提供了风景如画的牧场（一直保留至1934年）。一条蜿蜒的林间小径让人们可以抛开城市的繁杂，漫步于山谷中；曲折的园路带领游客穿过宽阔的草地和奇石丛生的美丽景致，或是进入拥有几千株树木的林地。贝塞斯达露台有着规则式的花园和喷泉，是对于规则式和对称式园林的让步和认可，为富有阶层提供了赏花的场所。

奥姆斯特德和沃克斯的绝大部分设计都被保留至今。它们躲过了1863年建筑师理查德·莫里斯试图让公园的一部分发展为规则式设计让步，以同步于周边巨变的设想；也躲过了20世纪30年代大萧条带来的忽视和衰落，还有幸成为20世纪末、黑暗时代犯罪猖獗的禁区。

但是，奥姆斯特德的一生远不止于中央公园的设计。在南北战争期间，他曾担任过美国红十字会的执行秘书，负责军队的福利。之后，他搬到西部成为加州马里波萨矿业的负责人，并改善了矿工福利和矿区工业规划。这些都造就了奥姆斯特德的民主主义和乌托邦思想。

当意识到优美景区和古老红杉树林的重要性后，他成功设立了美国第一个公有的国家公园，确保了其留存和可持续的使用权。接着，他又成功地从工业发展中拯救了尼亚加拉瀑布。与此同时，他被委托在美国各地进行景观设计，如布鲁克林展望公园，波士顿、芝加哥、底特律、路易斯维尔、罗切斯特和蒙特利尔等地的重要公园，斯坦福大学和伯克利大学的校园、范德比尔特在北卡罗来纳州阿什维尔地区的比尔特莫尔庄园、芝加哥的世界博览会等。奥姆斯特德不知疲倦地工作，直至精神崩溃，在精神病院度过了他生命中最后的5年时光。

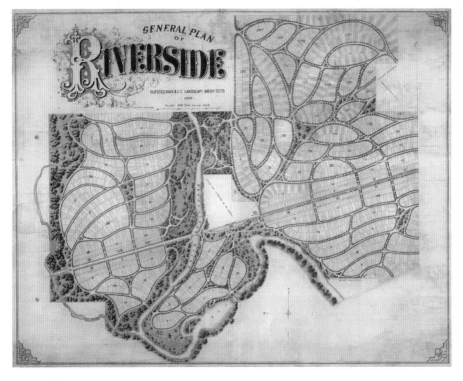

上图　布鲁克林的展望公园，照片是由乔治·布拉德福德·布雷纳德在1873年拍摄的。

下图　伊利诺伊州的河滨新城平面图，奥姆斯特德后来成为一名城市规划师、景观设计师，同时还依然肩负着社会责任。

埃德娜·沃林

澳大利亚的工艺美术园林设计师

1895—1973年

1895年
国家信托组织在英国成立。
威廉·伦琴发现X射线。
奥斯卡·王尔德因"有伤风化罪"被判处两年劳役。

1973年
乔治·帕帕多普洛斯在希腊的军事政变中被推翻。
西尔斯大厦在芝加哥竣工。
巴勃罗·毕加索在法国逝世。

---

200 多年以来，世界各地的富有阶层都以18世纪英国景观园林为范本进行模仿和改造。而且20世纪的园林中种植了大量的英国本土植物，这仍然是世界各地园林设计师的灵感源泉。园林已经成为英国最引人注目的出口商品之一。

有时，这些"镜像园林"是由业主自己创造的，有时则是由在国外工作的英国设计师设计的，可能当时他们正在法国里维埃拉别墅或是在托斯卡纳别墅。澳大利亚的设计师埃德娜·沃林则介于这两者之间。她出生于英国，把英国的艺术和手工艺风格带到了澳大利亚，但是随着时间的推移，她又开发出了全新的种植搭配和种植方式，以更适合她所居住的国家。她是一名基督教科学派信徒、古典音乐爱好者、技术娴熟的摄影师，还是一位有着红色头发、总是戴着宽遮阳檐帽、注重实践的园林设计师，她最喜欢穿衬衫搭配马裤。确切地说，她就是一个魅力四射的假小子。但是沃林对自己的能力充满了信心，也对此感到骄傲。她成了澳大利亚园林设计界年轻有为的女设计师，直到现在也还是最受人爱戴和最著名的设计师之一。

沃林出生在英国的约克郡，在德文郡的比克利长大。沃林的父亲把木工技能传授给她，尽管她那时还在修道院学校学习；而在乡村中的漫步教会她如何欣赏和评价自然景观。但火灾烧毁了他父亲就职的、没投保的店铺，他们全家在

↑沃林的自拍照，她爱工作胜过爱自己。她是名专业摄影师，喜欢用亲自拍摄的图片作为自己的书籍和文章的图释。

1912年移民到了新西兰。沃林在那里成为一名厨师和清洁工，随后又在基督城受训成为护士。与此同时，她的父亲在澳大利亚的墨尔本找到一份仓库主管的工作，几年后，全家搬到了他的身边。1916年，沃林在墨尔本的伯恩利园艺学院学习，获得了园艺证书，正式成为职业园丁，但她很快就厌烦了这份重复性的工作。另一方面，建造花园的想法一直深埋在她的心底，呼唤着她去进行实践。于是，她像许多新手设计师一样，通过一位建筑师朋友的推荐，开始找工作。她称自己不是一位景观建筑师，而是一位景观设计师。

沃林的事业发展很快，她的风格体现了欧洲传统设计，有着清晰鲜明的建筑特色——墙、藤架、水池和柱廊，所有这些都配合大方而色彩柔和的种植，但也有更原生、更开阔的自然区域，里面种植着澳大利亚的本土植物。她接受澳大利亚女歌唱家内莉·梅尔巴夫人还有基思·默多克夫人（后来的伊丽莎白夫人，鲁珀特·默多克的母亲）委托的项目。项目占地几英亩，如果不是因为花费巨大，预算原本是很充足的。后来沃林开始为《澳大利亚美丽家庭》杂志（1926—1946年）撰写文章、回复信件，并为读者提供水彩设计图。她小规模的经营也开始有了帮手，一个会计、一个宣传，还有像埃利斯·斯通和埃里克·哈蒙德这样的承包商，他们对澳大利亚的设计都产生了深远的影响。

到了20世纪20年代末，沃林的成功使她有能力在墨尔本东部的莫鲁巴克地区购入45公顷未开垦的森林地带。她在那里为自己建造了一个小型且简易的，但对她来说非常满意的小屋，并依照伯克郡的泰晤士河边村庄的名字，将它命名为"桑宁"。她开始在园林里种植大量的桦树和标志性的枫香树。然后，她将剩下的区域划分成了16块住宅用地并出售，条件是每个地块上的乡村小屋和园林，都要由她设计。园林里的小屋，好似她温暖记忆中位于英国的那间小屋。她把这个项目命名为"比克利谷"。1936年，"桑宁"被烧毁了。但沃林并没有气馁，她又为自己建造了一个更基本的居所，称为"小木屋"，面积仅为4.6米×4米，

→ 沃林为基思·默多克夫人设计的一个玫瑰园的平面图。
↓ 沃林拍摄的比克利谷的一座农舍，是她的郊野住宅之一。

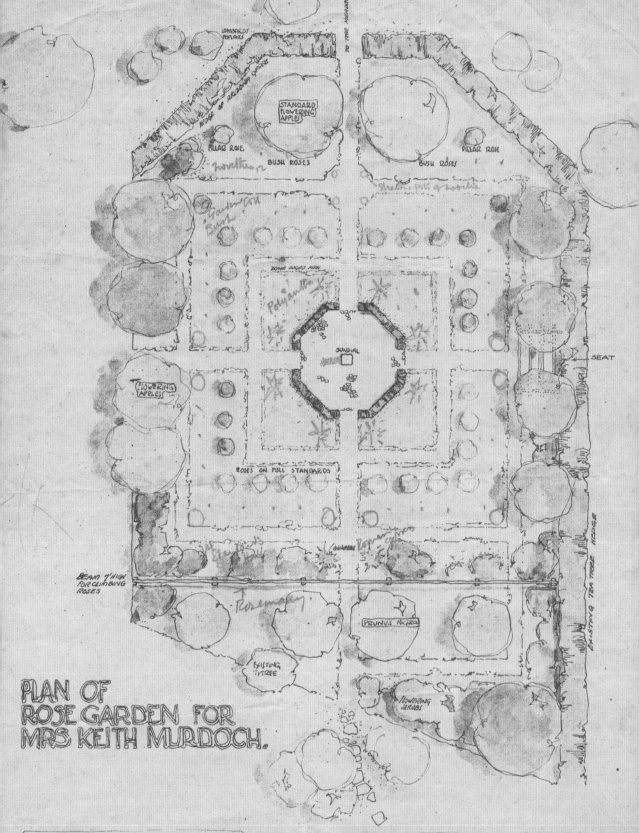

PLAN OF
ROSE GARDEN FOR
MRS KEITH MURDOCH.

EDNA WALLING: LANDSCAPE DESIGNER

SCALE EIGHT TO ONE INCH.

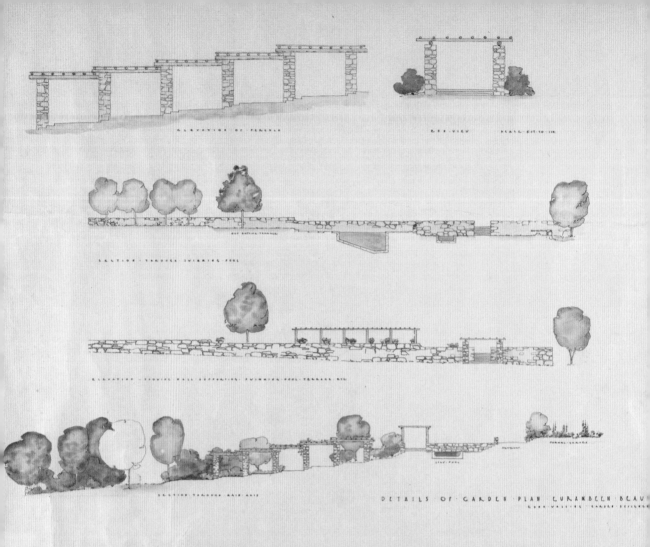

↑大约在1937年，沃林为位于维多利亚、波弗特、尤若宾的园林绘制的水彩细节图，包括廊亭、游泳池和主轴线的立面图。

后来又被"桑宁二代"所取代，但它们的面积都不大。

后来沃林开始写书，帮助人们建造自己的花园。如在《澳大利亚园林的设计与打理》（1943年）中她用自己的照片和草图作为图解，直到1950年共出版了4个版本；在《澳大利亚的乡村小屋和园林》（1947年）中，她甚至引荐了中国的乡村小屋；《园林设计师日志》（1948年）是她发表在杂志上的所有文章合集。

沃林对比克利谷项目的发展感到满意，于是在1948年，她在维多利亚临海的罗恩市又买了40公顷的土地，设计了另一个村庄。在那里，她为自己重新建造了一间小屋，结果又被烧毁。她现在完全根据澳大利亚的天气（说气候可能更准

↑沃林拍摄的彩色照片。她设计的园林充满田园风，是放松的英式风格，显得与非英式风格的建筑不太协调。

确）进行家庭园林设计，并开始大量种植本地植物，而不是国际苗圃贸易市场的那些"紫色叶子的奇异花草"。紧接着，体现她保护当地植物热情的著作《澳大利亚的路边》在1952年出版，她在书中写道："想到任何游历过的地方、那些树木和自然所覆盖的角落都没有遭到破坏，就让我很兴奋。"

沃林的最后一次移居，来到气候更加温暖的昆士兰的布德林姆，她计划用意大利风格来建造一个村庄。但直到她去世，这个计划和其他一些类似的项目一样，都未能完工。

托马斯·丘奇

为人使用而创建的现代主义园林
1902—1978年

1902年
古巴脱离美国宣布独立。
"电气剧场"作为美国第一家电影剧院在洛杉矶开业。
美国摄影师安塞尔·亚当斯出生。

1978年
卡特总统推迟了中子炸弹的研制。
世界上第一个试管婴儿路易斯·布朗出生。
阿富汗内战开始。

20世纪初期，欧洲出现了画家米罗、建筑师勒·柯布西耶和作曲家斯特拉文斯基，现代主义也是在这个时候出现在欧洲的园林设计中。然而，它却越过大西洋来到了美国，工艺美术精致、优雅的风格继续在欧洲徘徊了数百年。在美国，现代主义很快就被托马斯·丘奇运用在西岸的郊区花园中。他倡导人们将园林设计成功能性场所，这样人们就可以在加州的阳光下生活和玩耍了。丘奇设计的园林是为了让人们参与其中，而欧洲的园林，在他看来则是用来观赏的。对于他来说，维护成本低和在有绿篱围护的园林里种植简单而密集的常绿植物，要比种植复杂花卉的园林更重要。

他在1955年出版的《园林是为人所用的》可以作为现今英式园林或荷兰郊区园林的指导手册。它们在概念和布局上很相似，但是英国园林保留了复杂的、用来观赏的园艺，还需要日后精心的维护。因此，以传统的眼光看来，丘奇的园林是单调的，就像大多数小型的家庭园林一样，很少会保持不变。也许园林的设计准则就是满足当下的需求。

丘奇出生在波士顿，和他的母亲和妹妹在南加州的奥海镇长大。在那里，所见的牧场、户外生活、橘子树和西班牙风格的建筑，都是丘奇可以学习借鉴的视觉元素。他在加州大学伯克利分校获得了"景观园林设计"和"花卉学"的学

← 托马斯·丘奇，大约拍摄于1977年（他去世前不久）。他衣冠楚楚、和蔼可亲，并没有穿着他最喜爱的卡其色修剪园林的工作服，也没有带着他破旧的工具包。

↑→这是一幅为加利福尼亚州索诺马县的唐纳花园泳池边的建筑所画的设计图,《美丽住宅》杂志的封面上就刊登了这个著名的游泳池。即使是在这个园林的草图中,也很明显表明"园林是为人所用的"设计观点——引用于丘奇的第一本书的标题。这本杂志的封面已经成为一个乐观的、战后美国的标志性形象,同时也是一个英雄的家园。时至今日,摄影师们仍然被吸引到这个园林中拍摄照片。而现在,他们处理彩色印制的技术更加丰富了。

士学位，后来又在哈佛大学获得了景观建筑学的硕士学位。他利用谢尔登旅行奖学金，在欧洲游历了9个月，考察那里的园林传统，并完成了论文《关于地中海园林及其在加州环境中应用的研究》。在意大利文艺复兴时期，人们对室内和室外生活的想法，和现代的加州有很多相似之处。

在俄亥俄州立大学任教之后，丘奇开始全职投入个人事务所，并且这份工作占据了他余生的所有时间。项目大多是家庭园林项日，但也有一些市政公共项目或商业项目。他的事务所雇员从来没有超过四个人。

"汤米"·丘奇(汤米是托马斯的昵称)，总是随意地穿着卡其色的衣服，拿着一个贴满了航空公司标签的公文包，里面装着卷尺、素描板、修枝剪和手锯。他首先要从客户那里了解他们对园林的诉求，以适合的方式获得准确的信息，再结合预算提供一系列的清单——观赏景观、游泳池、良好的隐私性、饮食空间、

↓加州阿普托斯的海滨马丁花园。丘奇喜欢它的折线，而木平台和曲线形的种植区域与景观融为一体，简直是后来美国设计师詹姆斯·凡·斯韦登（详见200页）的设计作品埋下伏笔。

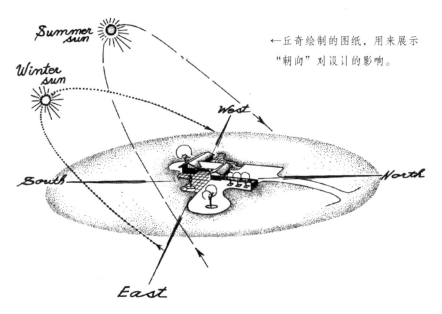

←丘奇绘制的图纸，用来展示
"朝向"对设计的影响。

照明、充足的停车位、光影、灌溉良好的绿色草坪，如果业主热衷园艺，还要考虑种植花卉、蔬菜和堆肥的空间。在那个年代，妻子和孩子们通常待在家里，丈夫则外出工作。

20世纪30年代的景观设计在很大程度上倾向于对称、欧式、学院派艺术风格的园林，以及法国传统、华丽的方形花坛，这些都出现在丘奇的园林中，甚至还与引人注目的现代主义风格相结合。随后，他在1937年巴黎世博会期间，又进行了一次欧洲之旅，考察了建筑师阿尔瓦·阿尔托的作品。在20世纪40年代和20世纪50年代，他又进行了现代主义风格的尝试，在设计中大胆地使用不规则图形（通常与成直角的折线形成对比）。到了晚年，他回归到了一种更简单、更对称、更古典的风格之中，丘奇一生总共设计超过2000个园林。

丘奇与当代建筑师的合作促成了他的成功，尤其是和威廉·伍尔斯特的合作。还有他和《日落》杂志（关于西方生活的杂志）和《美丽住宅》杂志的合作，这些杂志向潜在客户展示了他的作品，就像《乡村生活》杂志展示鲁琴斯在英格兰的项目一样，让他有机会可以表达他的思想，同时丘奇也为编辑们设计办公室和园林。他的设计展览，尤其是在旧金山时尚家具店（他妻子贝琪曾在那里工作）的展览，将他的作品推向了时尚领域，使之成为身份的象征。

《美丽住宅》杂志为丘奇位于加利福尼亚州索诺玛县的唐纳花园设计做了专题报道，这也奠定了他的设计地位。在杂志封面上，展示了肾形的蓝色游泳池和中心位置摆放的抽象雕塑，两侧是成熟的橡树及远处朴实无华的景致。这个设计本身就是美国梦，是一幅令人向往的美好生活画面——简单、阳光和现代。这也开启了现代彩色摄影在园林设计领域的时代，创造了流芳百世的经典作品。一幅美丽的图像所显示的，并不是场景构成中的所有元素，而是经过精心选择的、摄影效果最佳的画面。

在之后的几年，他出版了第二本书《你的私人空间》（1969年），摘自他为《旧金山纪事报》所撰写的文章，书中介绍了他的作品和设计思想。就像《园林是为人所用的》一样，它是一个细致而周到的、为业主提供思路的指南，而不是专业景观建筑师的技术性论文。虽然由丘奇设计的，类似朗伍德花园、斯坦福大学和《日落》杂志社办公室这样的商业项目和咨询项目并不多，但他在整个业界都受到尊重，赢得了来自美国建筑师学会、美国景观建筑师学会和美国园艺学会的诸多重要的奖项。对丘奇来说，现代主义并不是一种艺术上的痴迷，而是为客户提供他们所渴望的、宁静的、易于维护的居住环境方式。正如他在《园林是为人所用的》一书中所写到的："现代主义不是一个目标，而是一条宽阔的大道。"

↓斯坦福大学的白色纪念广场，是丘奇为数不多的商业项目之一。如果和鲁琴斯设计的位于新德里的总督宅邸园林（详见102页）进行比较，会发现非常有趣的不同之处。

艾伦·布鲁姆

种植岛和流行植物的开发者

1906—2005年

1906年	2005年
旧金山80%的城市建设被地震摧毁。	伦敦恐怖爆炸事件造成52人死亡。
预防结核病的卡介苗开始推广。	克什米尔的一场地震造成8万人死亡。
亨利克·约翰·易卜生和保罗·塞尚逝世。	YouTube成立。
德米特里·肖斯塔科维奇和约翰·贝杰曼出生。	卡特里娜飓风摧毁了新奥尔良。

在苗圃工作中总是能发现一些优秀的植栽者，例如詹姆斯·罗素从桑宁戴尔苗圃开始，又先后在约克郡的霍华德城堡建立了玫瑰园和雷伍德植物园；格拉汉姆·斯图亚特·托马斯曾在桑宁戴尔苗圃工作，后来成为国民托管组织的首席园林顾问；罗伊·兰卡斯特从汉普郡的西里尔苗圃开始，逐渐成为一名植物收藏家和影响重大的丛书《西里尔耐寒树木和灌木指南》的编辑。

艾伦·布鲁姆在诺福克郡的布雷斯辛厄姆建立了自己的苗圃，这个苗圃因种有种类繁多的耐寒多年生植物而举世闻名。布鲁姆还创建了占地2公顷的园林，虽然主要目的是为了促进贸易，向零售客户提供产品展示的示范园林，但这是布鲁姆在他作为经验丰富植栽者的巅峰时期，依照自己的想法和原则创作的园林，在当时产生了巨大的影响。布鲁姆的外表，可能并不符合大家对于著名园林植栽者的惯有想象。来到布雷斯辛厄姆的游客，能够很轻易地从人群中认出布鲁姆，他身材瘦高、穿着旧夹克、留着白色长发、戴着金色耳环，也许会站在他最钟爱的蒸汽机车上，布鲁姆身上总有种带着叛逆的吸引力。

布鲁姆在15岁的时候离开学校，起先在几个著名的苗圃里当学徒，包括肯特郡华莱士的坦布里奇韦尔斯，以及约克郡皮克林的R.V.罗杰。随后开始从事他父亲在剑桥郡奥克明顿的切花生意。年轻的布鲁姆有着商人的经验，认为经营

↑艾伦·布鲁姆在他的蒸汽机车上。最初机车是用来清理苗圃的土地，后来这里成为旅游景点后，机车就在附近行驶，有时甚至穿过花园。

这种园艺商品种植并不是明智的选择，他决定进军耐寒的多年生植物和高山植物。他在奥克明顿经营这项业务直到1931年，但在1934年最后一次参加切尔西花展后，布鲁姆放弃了植物零售开始专注于批发贸易。到1939年，他的苗圃成为英国最大的苗圃，贸易主要依靠铁路来运输。

之后，战争的爆发摧毁了苗圃贸易，这迫使布鲁姆开始种植粮食。他的婚姻破裂了，还有三个年幼的孩子需要他来抚养。但他是一个乐观主义者，战争结束后就开始重新打理苗圃，并尽可能地采用机械化种植，招募被遣散的士兵和战俘作为劳动力。布鲁姆在1946年买下了布雷斯辛厄姆庄园和大约90公顷的农田。布雷斯辛厄姆有一座结实的、建于18世纪40年代的房子，这里的农田大部分是被水浸没的沼泽，树木深陷其中，这里曾被人们认为是冒险的理想场所。针对韦弗尼山谷恶劣的排水问题，布鲁姆对其进行了几十年的改造，通过机器来清理泥泞场地中的树木。

这些都是他异常艰难的时期。家庭生活的缺失让白天异常的漫长；夜晚来临时，所有的工作都停止了，他便开始写作，有时写小说，有时写园林方面的书。这是一种孤独的、压力重重的生活，也是他为成功付出的代价。1948年，布鲁姆成立了自己的农场和苗圃有限公司，并带着孩子们到加拿大安家，开始了他们的全新生活。在接下来的20个月里，布鲁姆在温哥华伐木，亲自在安大略的农场耕作，有时他甚至把工作当成放松，但是最后都一事无成。1950年，他在英国的银行经理告诉他，如果他的生意还没有步入正轨，就应该赶快回去。他很高兴回归到他所熟知并热爱的苗圃生意中，并乐于接受挑战。这正是他所需要的休整，更像是一个戏剧性的转折。

→火炬花"佩尔西的骄傲"，迄今仍然是国际上最受欢迎的品种。
↓布莱斯汉姆大厅和种植岛。以树高的视角观看，弱化了地面上布鲁姆的曲线形花园的整体观感。

随着苗圃的好转，布鲁姆起草了一份目录，打算与荷兰苗圃工人进行全面的研究，提供一份完整的、多年生植物和高山植物的清单。在他的助手佩尔西·派伯的帮助下，他开始培育新的植物品种，并卖给其他育种者。直到今天，大多数园林或园林植物目录中都会包含这里面所介绍的170种植物——包括号称"佩尔西的骄傲"的火炬花和号称"启明星"的雄黄兰。

布鲁姆自称是个收藏家，他在《布莱斯汉姆的故事》中写道："我需要在为了利润而栽种和出于兴趣而栽种之间取得平衡，这种妥协将一直存在。"因为他迫切地希望多年生植物能被重视，于是他在1957年成立了"耐寒植物学会"，并保护留存古老品种的愿望，在1978年成立了"植物遗产"机构。

1957年，布鲁姆再婚，儿子们也都长大了，可以在农场和苗圃的管理上为他提供更多的帮助，于是他开始建造一座园林。虽然房子前面有一些涡卷形的栽种苗圃，但他的头脑中有着更大的想法——建立一个既可以满足苗圃植物库存需求、能对植物进行繁殖培育，同时也成为面向顾客的展示园林。在接下来的几年间，布鲁姆业务的发展非常迅速。植物除了来自苗圃，也通过与植物园和重要的园林爱好者的往来业务中获取。直到园林以"戴尔园"为名而广为人知，那时候，园内已经拥有了4000种不同种类的植物。从挖掘到栽种都是由布鲁姆及他现有的员工完成，还有实习园丁们也为他提供了额外的帮助。

布鲁姆的愿望是向人们展示如何种植多年生植物，使他们从传统的垂直方形草本植物花园的限制中解放出来，并选择丰富多样的、更有种植力的多花品种，以适合较小的郊区花园。但他的主要目标是种植不需要立桩固定的植物（这是通过他所创造的、新颖的种植岛来实现的）。不是挨着空间的边缘靠墙种植，而是在开阔的草坪上种植，来自四面八方的风和光照，可以促进植物稳固并且自给自足的生长。这个方式非常有效，它与南希·兰卡斯特、罗斯玛丽·维里（详见258页）和克里斯托弗·劳埃德所采用的直线形规则式的种植边界相去甚远。

↑→戴尔园种植岛当时和现在不同的景象。规则的曲线形态，以发散而随意的形式提供了严谨而又引人注目的路径，让游人可以沿路观赏花池并探索种类繁多的植栽。

戴尔园可以被概括成是一种非规则式的曲线型植栽区，在种植苗圃或是花池里几乎都是多年生植物和高山植物（只有很少的松柏类和石楠属植物），园区被成熟的高大树木所包围和遮蔽。种植岛就浮在波浪形起伏的草地上，草地在种植岛之间穿插，呈现出或是一片宽阔的绿色谷地，或是一条绿色小径。花池、凉亭和一座布鲁姆自己建的小桥，成为草地上的装饰和引人注目的焦点。

很快人们就发现，这不仅是买家们想要的，同时也是园艺爱好者想要看到的景致。布莱斯汉姆成为园林爱好者个人或团体驱车前往的朝圣之地。布莱斯汉姆的名气和批发目录不断增加，直到1965年，因为商业需求，苗圃也开始提供零售目录。布鲁姆于1972年退休，开始将精力投入到自己的园林建设、自己创办的蒸汽机博物馆管理及写作中（布鲁斯一生中总共撰写了30本书，包括出版的小说和无数篇文章）。皇家园艺协会授予他维多利亚荣誉勋章和维奇纪念章，1997年他还被授予了大英帝国勋章。

　　布鲁姆种植岛的重要性，体现在曲线形式上的成功尝试。它们自然吗？不完全是，这些种植岛的曲线形状有着比法式花坛更加对称的特点，也有着19世纪英国郊区草坪上小旋涡状花围的图案特点（作家雪莉·希伯德描述其为"狂喜的鳗鱼"），以及20世纪中叶宏大的公园设计中遗留的维多利亚风格的蜿蜒小径和肾形种植花围的特点。文艺复兴时期的法国和意大利园丁们，在直线之间使用小尺度的旋涡纹饰进行装饰，许多英国维多利亚时代的花匠也在模仿他们。布鲁姆仅是将这些曾经出现的风格进行改进、简化，再运用色彩更丰富的植物加以装饰，以自然主义的名义放弃了对称性。

　　在戴尔曲线园林之后，出现了引领20世纪70年代潮流的石楠属和松柏类园林，这是由布鲁姆的儿子艾德里安倡导和开创的。1983年，罗斯玛丽·卫瑟在慕尼黑西苑的作品中采用了更加生态、更加适当的种植设计。2006年，荷兰设计师皮特·奥多夫设计了位于斯塔福德郡的特伦特姆宅邸，他用草坪替代了戴尔园中倡导的多年生植物运动。这是一个意义重大的、具有开创性的园林。

罗伯特·布雷·马克思

视觉设计形态和巴西本地植物
1909—1994年

<table>
<tr><td>1909年
俄罗斯佳吉列夫芭蕾舞团第一次来到巴黎。
创建特拉维夫市。
路易斯·布莱里奥成为驾驶飞机成功穿越英吉利海峡的第一人。</td><td>1994年
卢旺达种族大屠杀。
英国教会任命女性为神职人员。
纳尔逊·曼德拉成为南非的黑人总统。</td></tr>
</table>

罗伯特·布雷·马克思无疑是南美最具活力的园林设计师和景观设计师，他斩获了无数国际奖项，业务遍布世界各地——从南非到奥地利，再到美国，尤其是南美和他的祖国巴西。里约热内卢就像是他的展示廊，就像巴塞罗那成为建筑师高迪的作品展示廊一样。

罗伯特·布雷·马克思在英国、美国、澳大利亚这些英语语系的国家受到热烈的欢迎，也许是因为他的作品充满自由活力、生机勃勃，还有着婀娜多姿的曲线形态。这些热闹的氛围，强烈地吸引着那些痴迷法国、意大利的传统直线对称风格，并习惯严肃的北方风格的园林设计师们。如果说布雷·马克思的作品和欧洲传统风格有任何的直接联系，那肯定就是19世纪的花园式风格，即将色彩鲜艳的花圃蜿蜒于郊野的草坪上。只是这种风格仅出现在20世纪初期到20世纪末期的公园设计当中，而且这样的设计在总体上被认为是不合潮流的。然而，这个喜爱艳丽色彩的巴西人对此非常着迷，在前辈们的色彩和活力的基础上不断创新，还发现了欧洲人所不敢追求的自由风格。

布雷·马克思也是野生环境和植物保护的倡导者，不仅如此，他还是一位有名望的画家，这也进一步提高了他的国际声誉。实际上他是一名真正的博学家。

→ 1995年布雷·马克思在被设计图包围的工作室中。

↑ 里约热内卢教育和卫生部的屋顶花园，于1938年设计。

→ 佩德罗的坎沃尼拉斯别墅。鲜明的热带色彩和图案般的曲线形态，与典型的欧式元素"平坦的草地"形成对比。

他出生于圣保罗的德国犹太裔皮革制造商家庭，母亲是巴西的贵族，在她的沙龙中有帕布罗·卡萨尔斯这样的艺术家。布雷·马克思很早就展现出他的天赋，最初还有人提议他应该成为一名歌手。不过，尽管他的视力不太好，还是难以抵挡他对于艺术和植物的热爱。后来他们一家来到柏林的魏玛短住了18个月，在这期间，布雷·马克思潜心研究绘画，并且震撼于毕加索、克莱和马蒂斯的绘画作品，托斯卡尼尼和布鲁诺·沃尔特的歌剧，佳吉列夫的芭蕾舞团，规则式的景观园林还有植物园。在那里，他第一次看到了生长在温室里的巴西本土的植物。此外，他还深受卡尔·福斯特的杂志《美丽的花园》的启发。

在回到保守的里约热内卢之后，布雷·马克思听从劝说，放弃了国家美术学院的建筑系，而是选择追随里奥·普兹和坎迪多·波尔蒂纳里学习绘画。但是，教授建筑学的卢西奥·科斯塔发现了他的天赋，并成为他的导师。他看到布雷·马克思在园艺方面的才华，便给了他与富有创新精神的年轻建筑师一起工作的机会。布雷·马克思先是在建筑师勒·柯布西耶主导的一个项目中为里约热内卢的教育与健康部设计园林，接着又设计了桑托斯杜蒙机场。他对水景的热爱也在景观设计中突显出来，无论是作为设计师还是作为商人，他都建议客户大量使用巴西植物。

↑罗伯特·布雷·马克思的私人园林。他对作为装饰性使用的巴西当地植物（经常是戏剧性的）充满热情，同时也是一位认真和积极的自然环境保护主义者。

　　尽管布雷·马克思身为商人，并且身处政治动荡的年代，但是在从事市政工程期间，他仍谨慎行事。布雷·马克思作为园林设计师和景观设计师，事业非常成功，同时还一直从事着环境保护方面的工作，他采集植物，将濒危植物引入到商业园艺中（有五十多种植物以他的名字命名）。布雷·马克思一生都没有停止过绘画，并在欧洲定期举办个人画展，通过巡回演讲介绍他所做的工作，他几乎走遍了世界各地。此外，他还是一名受欢迎的珠宝设计师和花艺师。他一直单身，但是艺术活力却从未枯竭。直至晚年，他每年还要承接多达20个新的项目。毫无疑问，他最著名的项目是在里约科帕卡巴纳海滩沿岸的马塔阿特兰提克大道。在这里，有一条长长的景观带，他将汽车、咖啡馆和公共绿地穿插于黑白相间的铺地间。但同样重要的还有他在首都巴西利亚各事业部门的项目，以及他长期居住的景观园林和苗圃"马克思私人园林"。在去世前，他设法确保这座园林在将来能成为一处公共场所。

　　值得我们注意的是，布雷·马克思并没有接受过正规的景观设计师培训，就像许多18世纪的英国景观设计师一样，他雇用绘图员把草图变成实实在在的项目图纸。他是一位艺术家，热衷于将自己在其他艺术领域的经验和独到见解融入到景观设计中，尤其是立体主义、表现主义和抽象派艺术等，都能在他的园林设计中找到踪迹。他的作品是作家兼思想家亚瑟·凯斯特勒所宣称的"异类联想思维"的产物，他认为这是所有创造的源泉和基础。还有一个值得注意的地方是，布雷·马克思的风格和许多伟大的艺术家一样，都打破了之前的设计惯例。比如那些基于对称的园林设计，使用来自欧洲的植物或是世界各地的植物，像在其他殖民地国家一样，在巴西也蔚然成风。布雷·马克思的成就在于，将巴西的本地植物融入设计，以更好地适应当地气候；以明艳的绘画方式，在设计中运用生机勃勃的色彩和植物；以曲线的布局方式，与现代建筑的简洁直线造型形成鲜明的对比。

↓尽管许多人可能从未听说过布雷·马克思的名字，但科帕卡巴纳海滩是在世界各地都很出名的海滨大道。

约翰·布鲁克斯

室外空间
生于1933年

1933年
贝特洛·莱伯金在伦敦动物园为大猩猩建造了一栋现代的圆形建筑。
巴特西发电站开始建设。
设计新世界贸易中心三号塔楼的建筑师理查德·罗杰斯出生。
柏林的包豪斯学校被纳粹关闭。

有人说现代主义艺术始于20世纪初的俄罗斯和德国，但在园林设计领域，它却跨越英国来到了美国，这主要体现在20世纪40年代托马斯·丘奇等人的作品中。约翰·布鲁克斯的成就是在20世纪60年代将现代主义从美国带回英国，使其取代了古典主义、爱德华风格及非常有影响力的鲁琴斯和杰基尔风格。

布鲁克斯出生在英格兰北部的杜伦市，并在那里接受教育。服完兵役之后，他在杜伦郡园艺学院接受了商业园艺的培训。后来在诺丁汉公司的公园部门当了3年学徒，但在所有的这些初步园艺实践中，最吸引布鲁克斯的还是设计。在成为当时最前卫的景观设计师之一布伦达·科尔文的助手后，更加坚定了布鲁克斯职业选择的信心。在伦敦大学获得了景观设计专业的文凭后，在接下来的5年时间里，他担任了希尔维亚·克劳的助手，这是另一位备受赞誉的女性景观设计师。基于在各个艺术领域的广泛兴趣，布鲁克斯开始在《建筑设计》杂志担任编辑助理。1964年，他在私人实践的基础上开始了作为园林设计师的工作。

布鲁克斯承认，对他产生巨大影响的是托马斯·丘奇。丘奇的指导原则是：园林是给人居住和使用的，而不仅是观赏和维护；而且园林实际上是建筑的一部分。因此在1969年，36岁的布鲁克斯在英国出版了《室外空间》一书，也对英国的园林提出了类似的想法。虽然英国的气候与丘奇所在的加州完全不同，而且那里还有很多早已存在的园林建造传统，这些都需要重新适应和改良。这本书对于英国的园丁和设计师来说都是新鲜的，也是一个惊喜，虽然他们还未从战时的低迷中恢复过来，但它的影响仍然巨大而深远。布鲁克斯一生中陆续出版了24本著作，主要都是为园林爱好者提供的、具有实用说明性质的书籍，内容多是有关如何设计小型家庭园林、乡村园林和自然园林，甚至是室内园林的。每本书的写作风格既通俗易懂又十分严谨，通常被翻译成多国文字并广泛传播。至今，《室外空间》已经成为经典文献。

就像他的前辈丘奇一样，布鲁克斯也是以那种安静的、严肃的写作和绘画方式直接与读者交流，为初学者解决设计问题的，而不是用听起来令人生畏的方式，他也从来不让初学者们感到挫败和受打击。布鲁克斯成为资深、现代、实用设计的代名词，媒体经常把他视为园林设计方面的权威，如2003年BBC的"小镇园林"节目中就展示了他的园林设计理念。2004年，他获得了"园林设计和服务"的大英帝国勋章，以及美国职业景观设计师联合会的荣誉勋章。

布鲁克斯不仅写作，还亲自教授设计。他管理着非常著名的私立英奇巴尔德

↓丹曼斯园林及其著名的陶瓶。这里的植物似乎不受管制，可以自由应对季节的变换。

↑蜿蜒的草坪和小径是对托马斯·丘奇的赞颂，也是布鲁克斯的灵感来源，尽管布鲁克斯种植的种类要丰富得多。

园林设计学院，并于1978年，在德黑兰设立了英奇巴尔德室内设计学院。对他来说，室内设计的理念与园林设计大同小异，两者都需要同样舒适的空间。不过令他感到具有挑战性的是，他认为设计的界限要比人们想象中的要少。而且认为优秀的园林设计师应该在绘画和雕塑等领域都接受教育并保持兴趣，因为和园林设计师一样，艺术家对比例、动态、空间和色彩有着类似的理解过程。他非常遗憾地发现，许多有抱负的年轻园林设计师都缺乏对这些相关艺术领域的了解。

1980年，布鲁克斯在有着1.6公顷园林的家中成立了钟楼园林设计学院（位于苏塞克斯郡芬特维尔的丹曼斯）。钟楼是一栋改造过的建筑，包含一个带围墙的园林。现在园林与这栋建筑分离，被一条繁忙的马路隔开。当布鲁克斯刚来到这里时，这个园林属于乔伊斯·鲁滨逊，但布鲁克斯逐渐以自己的方式改造了这个园林，并且使其闻名遐迩。

丹曼斯园林很好地表达了布鲁克斯的设计风格。没有任何宏伟的景致，汽车可以安静地停靠在路边的树下，既方便又实用。法式风格的大门把室内的生活空间与室外宽敞的露台连接起来，但这并不是为了展示炫酷的极简主义设计，而是为了表现在典型园林空间中或垂直生长，或呈拱形蔓延攀爬的植物。在植物的选择方面，丹曼斯园林仍是一个传统的英式园林。这就难怪为什么布鲁克斯在海外的许多项目都是英式园林风格了。

丹曼斯园林也是一座现代风格园林，园内的小路很少会通过狭窄的空间，多是经过一系列蜿蜒而平缓、舒展的空间——有些是种植的草地，有些则是满铺碎石。其中最著名的是一条蜿蜒曲折的砾石路，路两边都是安静的、具有建筑感的植物。两旁蜿蜒舞动的植物都积极地参与到这条由碎石铺装的小路空间里。这些植物安静、松散地落在碎石小径上，没有坚实而明显的边界，游客的视线不时会被路中央的一个高大陶瓶吸引，它被自然生长在那里的植物环绕着。贝丝·查托在设计埃塞克斯的干燥园林时，脑海里肯定也有同样的标志性景象——植物在砾石铺地中潮水般蜿蜒舞动。

丹曼斯园林内有一个较大的开放空间，一片不规则的椭圆形草地是它的中央区域，但在周围几码之外的小路上种满了长长的草和怒放的水仙花，以最简单的方式勾勒出空间。它还明确地呈现了布鲁克斯的设计风格：既不是传统英国园林边界的野生草地，也不是现代流行的长满野花的草甸，纯粹是布鲁克斯让空间利用更有效的方式。正是这种方式，将设计师冷静的思考与独到的眼光运用到被繁茂植物环绕的英式园林中。

布鲁克斯的教书生涯使他走遍世界各地，远不止哈佛、纽约、多伦多、约翰内斯堡、澳大利亚和新西兰。他在自己家里开办学校的同时，也在智利和阿根廷开办了园林学校。他连续3年成为园林设计师协会的主席——这个组织将有才华的设计师们汇聚起来，帮助提升他们的专业才能。就像他的前辈丘奇一样，布鲁克斯多是通过口碑相传获得业务项目，他喜欢在项目开始之前和他的客户探讨他们的需求和愿望，布鲁克斯建立的良好客户关系使他的项目得以顺利进展。他总是非常认真地对待自己的想法，即便被激怒时，他也能回以笑声。

自从20世纪80年代以来，英国的园林设计就进入了由布鲁克斯推动的现代主义的潮流之中。但他也发现大量的工作都是在追求形式和令设计变得与众不同，而不是为客户提供实用性设计。对于园林装置他认为很有趣，但仅此而已。

↑最近在巴塔哥尼亚的一个项目。有一系列的S形台阶和退台,静静地通往水面,背景是壮丽的山景。

相反,一些年轻的设计师也许会觉得布鲁克斯很陈腐,因为他从事设计行业50年,却从不使用计算机辅助设计(他认为计算机设计没有人情味),但这可能是混淆了时尚潮流与魅力追求。布鲁克斯认为,他和他的工作远远没有过时,虽然他还在与室外乏味的草坪种植模式打交道,但事实上,自20世纪中期以来,这方面的变化是非常少的。

这些年来,布鲁克斯的设计项目包括酒店、城市广场、百货公司的屋顶花园,甚至包括机场的休息室,其中还有一些私人客户。但如今,他将兴趣转向了乡村园林,因为无论是在国内还是在国外,甚至是在巴塔哥尼亚,他可以以建造田园的方式建造园林。当他的客户想要另一种老式的英式园林时,他必须说服他们,其实英式园林远远不止过时的那些设计,好的设计不仅关注设计本身,也要关注周边的环境。布鲁克斯喜欢从飞机上俯瞰,考虑这里所体现的景观曾经是如何使用的,并根据当地的环境来决定他设计园林的方式。现在他仍然非常活跃,工作项目遍布世界,比如莫斯科及圣彼得堡,他所设计的园林都成了当地的特色景观。

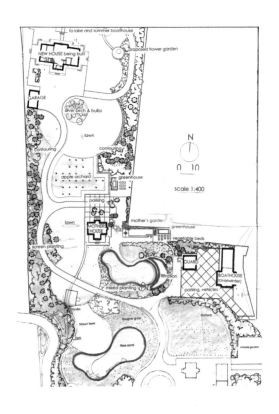

↑约翰·布鲁克斯现在已经80多岁了，仍然在世界各地旅行，并在各园工作。

↓→这是圣彼得堡郊外的一个项目，是美式战后风格的居住建筑，受托马斯·丘奇启发，如今在俄罗斯还很受欢迎。

詹姆斯·凡·斯韦登

现代的自然主义园林
1935—2013年

1935年
阿梅莉亚·埃尔哈特独自从夏威夷飞到加利福尼亚。
罗斯福总统的第二项新政策，有效地缓解了大萧条的影响。
弗兰克·劳埃德·赖特在宾西法尼亚设计了流水别墅。
"猫王"埃维斯·普雷斯利出生。

2013年
爱德华·斯诺登透露了美国的监视行为。
朝鲜进行了第三次地下核试验。
埃及总统穆尔西在一次军事政变中被废黜。
弗朗西斯成为第一位来自阿根廷的天主教教皇。

詹姆斯·凡·斯韦登的园林有一种独特的繁荣感，更准确地说，是詹姆斯·凡·斯韦登和德国移民沃尔夫冈·欧伊尔的园林。园林无论大小、公共还是私人，大多是在华盛顿特区周围创建的，而"新美式园林"风格则让这里的园林焕然一新。在这里的草坪和开阔的草原上，凡·斯韦登和欧伊尔用大规模的多年生植物取代常绿植物、需高度维护的草坪和一年生的花卉，因为它们容易维护，并能在一年当中不断地变换植物景致。与托马斯·丘奇的传统设计理念相同，凡·斯韦登和欧伊尔也认为园林是用来使用和生活在其中的。

凡·斯韦登是一个性格开朗、外向的人，与沉默寡言的欧伊尔形成鲜明对比，凡·斯韦登很热爱商业运作和推销自己的工作，对于园林这项谨慎而安静的工作来说，这种性格并不多见。他出生在密歇根州大溪城荷兰社区的一个虔诚的宗教家庭，他的父亲是一位建筑开发商，曾祖父是一位建筑师。年轻的凡·斯韦登对自然界很着迷，他喜欢在密歇根湖周围的沙丘上和铁轨旁的草地和树林里漫步，也喜欢佛罗里达更加温暖的景色和华丽的、迈尔斯堡附近的园林——他们一家会在那里度过冬季。

凡·斯韦登在密歇根大学接受了5年的建筑师培训，并对那里的景观设计项目非常感兴趣。他申请了到荷兰代尔夫特大学学习景观建筑学的机会，他的妻子也在那里找到了一份建筑师的工作。这是一个去欧洲考察的大好机会，他们开着

↑20世纪70年代，在华盛顿特区的乔治城。欧伊尔和凡·斯韦登在斯韦登的住宅里经历了最初的经营园林设计和种植业务阶段。

破旧的大众车环游了意大利、法国、南斯拉夫、希腊和埃及。凡·斯韦登被维米尔绘画中的荷兰室内设计所吸引。

　　1963年回到家后，凡·斯韦登被城市规划师马尔库·奥利瑞及联合事务所聘用，很快就成了合伙人并一起工作了13年。1973年，当这家公司被西屋公司收购时，凡·斯韦登意外获得了巨额利润，这使他有条件成立自己的公司。1971年，他在华盛顿特区的乔治城买了一座别墅，并请巴尔的摩的景观设计师沃尔夫冈·欧伊尔来设计园林。1964年，他与欧伊尔相识，并对他那充满戏剧性的丰富的种植设计印象深刻。虽然只是一个很小的园林，但却很引人注目。凡·斯韦登繁忙的社会活动，让他的园林受到了公众的关注，他也因此放弃了城市设计，认为它是偏重"政治性质的"，而不是"富有成效的"。1975年，他与欧伊尔联合创办公司，开始设计园林。

↑凡·斯韦登位于舍伍德渡轮湾的度假别墅，他喜欢将直线线条的现代建筑与富有动感的草本植物相结合。

这家公司，最初是在位于乔治城住宅的一间空余卧室里运营的，凡·斯韦登和欧伊尔花时间绘制简单的草图，然后载着一车的植物去园林种植。凡·斯韦登不敢相信，他能在赚钱的同时，还能得到如此多的乐趣。随着时间的推移，特别是当凡·斯韦登为他们所做的园林和景观作品设计框架时，他的建筑技能再次脱颖而出。他们还请了一个办公室的雇员来帮忙。1977年，一个为美国联邦储备委员会做的设计项目，将他们的地位推向了景观设计界，成为其中勇敢的新玩家。

到了1990年，凡·斯韦登开始写书、授课和演讲。他和欧伊尔在1990年出版的《鲜明、醒目的浪漫主义园林》，实际上是关于他们怎样建造园林的观念，同时也展示和宣传了他们的作品。正如35年前，托马斯·丘奇在加州通过出版《园林是为人所用的》一书，使得自己的作品得以全面推广一样。

凡·斯韦登和欧伊尔的园林里种植的植物都是如此繁茂和丰富，尤其是在建筑物周围还存在着几何形态。凡·斯韦登也用柔软的草本植物来装饰和包围建筑，呈现出浪漫的风格；一直延伸到街道上的草地，呈现出一大片松散的灌木般的景色。在那里，整个草地可以变成一种起伏的地貌。凡·斯韦登想要种植一种可以欣赏的景观植物，让步行路过的人和开车经过的人都可以一饱眼福。事实上，对所有人来说，园林从来不会存在什么"参差不齐"。小型园林会因为里面的巨大植物和巨大叶子而瞬间增加戏剧性效果；而在一个大型园林或是市政园林项目中，大范围的土地上也会使用成百上千种植物。而最重要的是，这些植物在高温和干旱中也可以坚强地生长，甚至在6~8周的花期过后还能保持良好的状态。这些植物的质感、肌理，比颜色的处理更加重要——最受欢迎的植物是具有建筑感的植物，像景天属植物、多年生植物和紫茎泽兰。稻科草类是设计中居主导地位的一种植物，因为它们可以在风中摇曳，并且对不断变化的光线作出反应。它们将自然景观的浪漫和安闲的野趣，带到了城市环境中。

　　凡·斯韦登在水景方面，也运用了大尺度的设计。水池的存在不是装饰性和偶然的，而是设计的一个结构元素。日本园林给他留下了深刻的印象，包括对

↓在渡轮湾，凡·斯韦登从建筑到自然景观的过渡中，采用了看似天然，但实际上是经过精心挑选和维护的植物，其中草类植物占了很大一部分。

↑ 使用规则式的装饰性草类植物，将静态的几何形态水池和远处的动态农业景观衔接在一起。

规模精确的控制，以及借景带来的影响。毫不意外，他是罗伯特·布雷·马克思这一类运用艳丽色彩的景观设计师的崇拜者，甚至也是"万能"布朗的倾慕者。

　　凡·斯韦登最引以为荣的项目，是纽约的洛克菲勒公园和他在芝加哥植物园的项目（尽管他还包揽了很多重大的市政项目，包括国家二战纪念馆、美国国家植物园、财政部大楼和国家美术馆）。他永远热爱他在乔治城的住宅，这里对他的事业有着重要的影响；还有罗森博格花园（1983年），他觉得这个园林是他最好的景观创作。当涉及对于园林地面层的掌控时，他仅希望创造一个不太引人注目的地形；而在一个园林的开阔空间里种植鲜明、醒目的植物，对他来说才是最重要的。

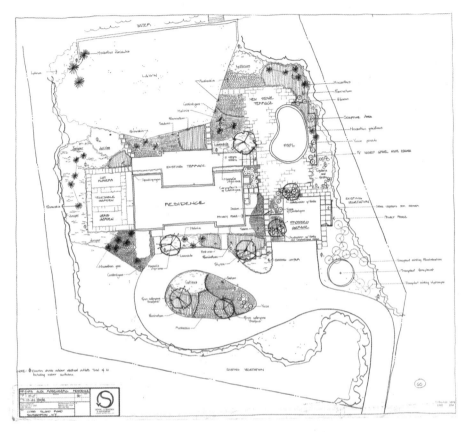

↑↓位于长岛梅科克斯湾的罗森博格花园的平面图和照片。花园介于建筑和水景之间，种有许多薰衣草、普罗草、蓍草和芒草。

营造植栽园林

中国人谈论"造园"而不是"种植"园林，这是一个很贴切的表达。因为典型的中国园林是对于象征性的地形与构筑物的创建，仅使用了少量的（按照欧洲标准）、具有象征意义的植物为园林景致带来生机和活力。而欧洲的园林来自不同的传统，在其中种满了从世界各地收集来的新植物物种，它们被安置在园林或是玻璃温室里。

园林设计师和景观设计师的主要工作是设计空间，他们常常对欧洲园丁对于植物的痴迷感到绝望。是否应该先建立园林的结构——处理那些空间、地形，以及园林和环境的关系？接下来的种植是否只是一种装饰形式？这些争论将永远持续下去，答案总是归结为一句话——杰出的园林设计师，应该既是一个快乐空间的创造者又是一个种植者。一个人很难同时拥有两种技能，至少是在自己的花园里经过反复尝试和经历失败，才能成功地将这两方面因素结合在一起。

但是，让我们明确一点：如果种植必须遵循空间的建立，那么它也同样具备另一种不同的技能；而在过去的150年中，植物装饰者或者说植栽者，也创造过许多令人兴奋的园林作品。来到这类园林参观的游客们，他们的职业可能不是园丁，但是他们在这里受到了启发和激励，学习到了关于种植和建立园林的技能，并为此激动不已。对于大多数游客来说，最重要的是过程而不是结果。我们应该心存感激，在现代城市化的世界中，这样做可以鼓励更多的人参与到我们的生存环境中，与之连接并珍视它。

园林植栽者的类型很多，有些人是色彩大师，他们喜欢通过种植花卉来创造复杂、有吸引力的效果，结果可能是令人惊艳的，或是创造了精致的景致，而这两者都是不容易做到的。但只要是出彩的设计，任何一种风格都不会受到忽视。

在位于吉维尼的园林里，法国印象派画家克劳德·莫奈（详见217页）将他才华横溢的、处理明快色彩的本领，用在了植物种植上。园林设计师兼作家的克里斯托弗·劳埃德是一位热衷于热带植物的色彩大师，他将20世纪90年代的异国园林，设计成了一个色调鲜明、具有建筑感、充满亚热带植物的大熔炉。园内所有的花都要开放，中间没有空隙，就好比要让杂技演员手中所有的盘子都在空中同时旋转一般。水彩画家爱德华风格的园林设计师格特鲁德·杰基尔，则是以一种更加微妙的方式，通过光谱让颜色和谐地流动。在20世纪后期，荷兰设计师米恩·瑞斯（详见238页）则继续创造更加温和、更加环保的风格。

园林工作者一直是自然主义种植的拥护者，而野生主义种植的守护神则是爱尔兰的园林设计师、作家兼出版商威廉·罗宾逊。他留下的著作使他的影响力从19世纪至今都很强大。如果没有罗宾逊和他的关于在合适的条件下种植植物的观点，我们也许就不会看到贝丝·查托（详见272页）的作品，以及她在埃塞克斯设计的园林了。查托的园林是由巨大的软管组成的，属于曲线设计的风格，她的控制生长环境植物协会，激发了两代园丁的创作灵感。在纽约，荷兰人皮特·奥多夫以一种更加现代、丰富的草类植物园林来营造都市田园的潮流，并大获成功。在意大利的宁法，莱利亚·卡尔泰妮（详见252页）使用了高度繁殖的灌木和攀爬植物，在一个中世纪的废墟城镇上照看着家园。在炎热的亚利桑那州，史蒂夫·马蒂诺（详见288页）种植的沙漠植物获得了同行的极大的尊重，他驱逐了那些资源匮乏的外来物种，并在几十年前就提出了可持续园林种植的理念。

有些植栽者不仅迷恋植物的色彩，还有植物的并置。他们以微妙对比的色调、树叶，还有纯粹的浪漫色彩装饰整个场景，这就是维塔·萨克维尔－韦斯特和罗斯玛丽·维里正在做的事情。另一些人，则是像格拉汉姆·斯图亚特·托马斯这样的收藏家，他们的园林能够容纳大量的单一种类植物，而且看起来还不错——这并不是一件容易的事。他们都对植物有着强烈的兴趣，他们是园林界的杰出装饰者。

底图为皮特·奥多夫为一个德国项目绘制的种植规划设计图。

威廉·罗宾逊

自然主义花园之父
1838—1935年

1838年
维多利亚女王在威斯敏斯特教堂举行加冕庆典。
英国起草的《人民宪章》要求普选制。
英国领导印度军队加入第一次英阿战争。
刺杀亚伯拉罕·林肯的刺客约翰·威尔克斯·布斯出生。

1935年
帕克兄弟发行著名的棋盘类游戏大富翁。
飞机被禁止飞越华盛顿白宫。
莫斯科地铁在斯大林时期开通。

人们永远都会争论威廉·罗宾逊是否是一位伟大的园林设计师，但无论结果如何，他都是一位伟大的园林专家。罗宾逊出版过很多书籍和期刊，他还是专注于反对维多利亚风格园林中典型的几何形花坛设计的狂热活动家，更倾向于采用自然的种植方式。罗宾逊唯一设计的园林是位于苏塞克斯郡的格雷韦蒂庄园，与他在这个项目开始前的几十年里一直鼓吹的观点相比，这座园林所提供的先锋设计比预想中的要少。

更重要的是，罗宾逊是一位真正的自然主义园林时代的先知。在罗宾逊生活的时代，克里斯托弗的母亲黛西·劳埃德在大迪克斯特花园种植的野生草地，在其中可以清晰地看到来自罗宾逊的影响；他的影响还体现在20世纪后期的贝丝·查托园林中，在这里的每一种植物都完美地顺应自然，并与自然和谐搭配；在21世纪受到欢迎的、在公共场所种植的一年生"草地"和"草原"，例如在伦敦2012年奥林匹克公园中见到的一样。罗宾逊在他颇具影响力的著作——1870年第一次出版的《野生花园》中所讲述的观点，让即便是今天的园丁们也受益匪浅。如果说1883年出版的《英国花园》多次再版让他赢得了"英国花园之父"的称号，那么《野生花园》就是他在园林设计中的丰碑。

← 威廉·罗宾逊画像。他是园林设计师、作家、出版人，从出身卑微到完全依靠人格魅力赢得尊重和财富。

罗宾逊出生在爱尔兰，在儿童时期就开始了园丁的工作，他的能力引起了格拉斯内温植物园园长大卫·摩尔的关注。23岁的罗宾逊带着园长的介绍信离开了爱尔兰，在英格兰开始了一段非凡的、收入不菲的职业生涯。

尽管罗宾逊出身卑微，但他在社交方面的出色能力给人留下了深刻的印象。他似乎拥有一种吸引人的魔力，同时也拥有闲聊的天赋，这一组合，使得人们乐意与他分享植物和园林的趣事。有时候，一个背景非常普通的天才，会把自己变成一个完全不同于之前环境中的人，但是罗宾逊似乎从来没有想过摆脱他早年从事园艺劳动的生活背景。在他的作品中，总能感觉到他以"我们"和"他们"来区分仆人和主人的关系。如果是这样的话，他永远是那个比主人了解更多的仆人。购入格雷蒂庄园并为其创建园林，一定给他带来了非凡的成就感。

摩尔的引荐，使罗宾逊成为在馆长罗伯特·马诺克领导下的、伦敦摄政公园的、皇家植物协会草本植物和英国本土植物采集工作的领队。罗宾逊再一次赢得了他在英国公共和私人植物园林学习的考察之旅，并在此期间结交了更多的专业人士。后来他开始为《园丁纪事》撰稿，这是一本严谨的园艺杂志。1866年，在查尔斯·达尔文的赞助下，罗宾逊入选了林奈学会。现在，是他独立工作的时候了。

罗宾逊离开皇家植物协会后参加了法语速成班，并在巴黎做了一年的记者，为《领域》、《泰晤士报》和《园丁纪事》杂志撰写文章，也为为期一年的1867年万国博览会进行园艺方面的报道。法国给他带来了设计灵感。如果说凡尔赛宫严格的规则式园林使他怒火中烧，那么法国高超的园艺、种植技艺、城市规划和墓园设计则让他赞叹不已。所以，他很快就写就了几本关于这个主题的书。第二年，他去了瑞士的阿尔卑斯山，那里为他提供了用于英式园林的来自阿尔卑斯山的花卉、部分百科全书内容，还有部分长篇大论式的强烈反对人工岩石花园的资源。根据在法国的经历，他出版了《蘑菇文化》。

他的第五本书《野生花园》于1870年出版发行。罗宾逊在书中主张园林不管大小，都应该摒弃神经质的、人工的、植物移栽的园林风格。他支持自然主义风格——其关键就是要在园林外围或建筑外部引入顽强的植物，这样就能使它们在这里生长，并且和本土的植物一样引人注目。同时它们也很廉价，这应该是来自罗宾逊内心那个园丁男孩的观点。这本书的第一版非常简朴，但在1881年出版

↑《西普雷克的泰晤士河》是阿尔弗雷德·帕森斯的画作。他是一位对园林非常着迷的画家，是罗宾逊长期以来在书籍和杂志上的合作者，他还为托马斯·哈迪的短篇小说提供插图。

的版本中，艺术家阿尔弗雷德·帕森斯慷慨地为这本书绘制了插图，并在后来的职业生涯中一直与罗宾逊合作。他如画般的乡村风格，为那些追求舒适居住环境的人们树立了基调——与自然和谐共生，这就难怪罗宾逊被英国工艺美术运动的提倡者约翰·拉斯金所推崇。

1870年，罗宾逊沿着美国海岸线进行游历，发现了更多可能会在英国园林中使用的植物，尤其是针叶类植物。现在，他已经出版了七本书，加上之前杂志上的文章，汇总起来就是1871年出版的《园林》一书。直到1899年，他还在编辑这本书。当时，他让他的副手E.T.库克与格特鲁德·杰基尔联手成为这本书的掌舵人。罗宾逊的人脉，吸引了来自国际园艺界最受尊敬的编著者，包括拉斯金本人，他成为罗宾逊反对规则式"建筑"园林风格的平台。

1879年，罗宾逊在法国出版了一本短期杂志后，开启了他另一项伟大的、利润丰厚的工作——《园艺画报》（最初称为《园艺》）。这是一本针对园艺业余爱好者的出版物，杂志中设置了定期的建议专栏，同时他还出版了很多关于天门冬属植物、法国墓园等方面的书籍。

碧翠丝·帕森斯绘制的格雷韦蒂庄园的主花坛边缘。

1883年出版的《英国花园》是罗宾逊的最终作品，内容关于如何建造一个高品位（罗宾逊式的）的园林，以及应当运用怎样的植物。他现在变得富有，但是十分忙碌。1885年，他买下了苏塞克斯郡的格雷韦蒂庄园。这座房子始建于1598年，经历了大规模的整修，并使用了防火的木材（顽固的罗宾逊拒绝投保）。

至此，罗宾逊终于拥有了属于自己的园林，并有机会实践他30年来一直宣扬的所有理想，即纯粹的浪漫。一幢舒适、古老的石屋，坐落在高低起伏、树木繁茂的乡村。然而，这并不是像大家预想的那种倾向于大自然的、肆意生长的园林，而是基于一种今天仍在使用的法则——以一种完全合乎情理的方式在乡间建造园林。由于建筑前用地的落差，罗宾逊设计了规则式的阶梯形花台，他不认为这是非自然的，因为它很实用。矩形平台被划分成几何图案的花坛，只要不是华丽的维多利亚种植风格，罗宾逊都是可以接受的。在阶梯花台的下面，他开辟了一片野生的、开满野花的草甸。并且，围绕整个庄园种植了大片如画般的非原生树木。这种园林设计中运用简单、大胆和必要的园林建筑，以一种浪漫和相对自然的方式引领了典型的埃德温·鲁琴斯式的工艺美术园林（在格特鲁德·杰基尔的作品中）。显然，灌木修剪法对罗宾逊而言太过遥远。

有了这个良好的开端，年迈的罗宾逊更加积极地反对建筑师通过图纸设计园林（他总是边建造边设计）。当瑞吉纳德·布鲁姆福德的《英格兰规则式园林》在1892年出版时，罗宾逊用自己的书《园林设计和建筑师园林》进行学术辩

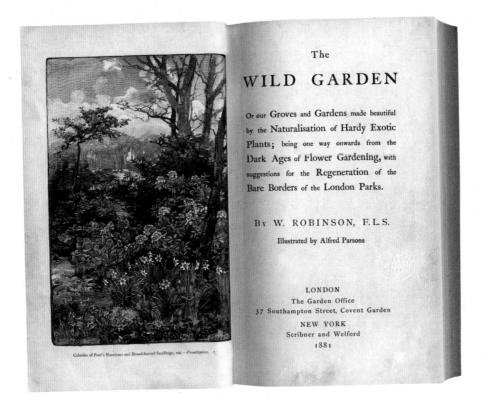

↑《野生花园》某个版本中的插图和标题页。罗宾逊的最大爱好就是在乡村环境中，或是园林中较粗犷的部分里面使用园林植物，让它们"看起来"很狂野。

护，反对这种规则式园林的形式和结构。一场大规模的公开辩论接踵而至，双方都没有取得胜利。对罗宾逊来说，他终于成名了，上了头条新闻，这也让他有机会谈论他为其他园林所做的工作，特别是由建筑师查尔斯·巴里爵士设计的位于萨福克郡灌木丛公园里的重新种植。

罗宾逊继续他的出版事业，每天早晨从格雷韦蒂乘火车到伦敦。不过可能是因为长期的梅毒感染，使这个精力充沛的人被迫在轮椅上度过了他生命的最后25年。但是在一位护士的照料下，他出版了更多关于民用管理方面的书籍。罗宾逊于1935年去世，遗留的房产用于林业发展，但很快就走下坡路了，直到几十年后，这栋房子被改成了酒店。只要他的园林框架还在，罗宾逊的思想就仍会不断地茁壮成长。

克劳德·莫奈

植物描绘
1840—1926年

1840年
奥古斯特·罗丹、埃米尔·左拉和托马斯·哈迪诞生。
英国宣布新西兰成为其殖民地。
查尔斯·威尔克斯的美国探索探险，证实南极洲是一个大陆。
世界上第一枚邮票"黑便士"在英国首次发行。

1926年
英国大罢工，并宣布戒严法。
女王伊丽莎白二世和菲德尔·卡斯特罗诞生。
约翰·洛吉·贝尔德展示了一种机械电视系统。
国家联盟废除了所有类型的奴隶制。

克劳德·莫奈是著名的印象派画家，但是他的园林设计师身份很少有人了解，然而园林是他生活中一个重要的组成部分。位于巴黎以西75公里的吉维尼园，就是他亲手建造和打理的园林，直到后来他成为一名成功的画家后，才有条件雇人帮忙打理。吉维尼园实际上是两个园林，在风格上，这两个园林相差极大，它们被一条繁忙的道路分开：一个是房子旁的规则式园林，叫克洛斯诺；另一个是自然主义的水池花园，那里种满了睡莲。

在莫奈前卫的绘画风格中，第一个花园从设计角度上来看是传统的，它种有水果和蔬菜，有着流行的法国花卉——鸢尾、玫瑰、太阳花、水草、天竺葵，以及一条直通前门的道路。使第一个花园与众不同的是，园艺的密集度、植栽边界的数量，以及精心设计的色彩方案的生命力。在今天的园林术语中，"精心设计"通常意味着"精细"，然而莫奈的色彩设计却远非平静，那些给他的画作带来生命力、生动鲜明、色彩泼洒的效果和对比在肆意狂欢。他一次又一次地画着这个园林，因为每半小时光线都会发生变化。

↑ 1920年，莫奈在他的画室里作画的照片。
←《艺术家在吉维尼的园林》（局部细节），莫奈于1900年创作。他经常绘制蜿蜒而行的狭窄小路，路两边种满了他最喜欢的鸢尾花。

↑1921年，莫奈在吉维尼园里的彩色照片。他的园艺风格有时非常浪漫，但却完全是规则式的。在设计方面，他并不是创新者。

莫奈的克洛斯诺园林没有什么限制，除了植物以外，没有什么是平静、自然的。莫奈的园林在繁忙的时候，更像是一个19世纪的小型公共园林，它绝不是一个秘密和精致的私人领地。实际上，直通前门的中央大道（他的"格兰德大道"）与马路连接，这条路在当时是一条铁路。即使是在那个人口比现在少得多的时代，对于任何一个路过的人来说，在乘火车途径莫奈的花园时看到的一定是一个令人难忘的景象。莫奈第一次看到这个房子的时候也是在火车上。

莫奈是一个杂货商的儿子，出生在巴黎，并在诺曼底海岸的勒阿弗尔度过了童年。他喜欢素描，被画家尤金·博丁鼓励在露天场地绘画，这后来成为印象派画家的偏好。像其他年轻男子一样，莫奈21岁参军，但在经历了伤寒之后他退伍，在巴黎开始学习艺术。在这里他遇到了他那个时代的巨匠雷诺阿、西斯莱和更多的人，他们一起认真地绘画。莫奈的常用模特是卡米尔·多恩修克斯，他们在1870年儿子出生后结婚。那年发生了普法战争，他们全家人为了躲避战乱逃到了英国，在那里，莫奈研究了透纳和康斯塔伯的画作。一年后，他们途经荷兰回到了法国，这对夫妇在塞纳河边的阿根图尔定居。生活虽然贫穷，但莫奈对园林很感兴趣。他收集荷兰代尔夫特的瓷器花盆，而且喜欢那时流行的、带状条纹形态种植的、色彩鲜艳的花圃植物。

1874年，莫奈的作品《印象：日出》，与德加、塞尚、毕加索和雷诺阿等其他非正统派画家的作品一起在巴黎展出。由此，"印象派"这个名词诞生了。但在他的事业辉煌之前，卡米尔被诊断患有肺结核。莫奈夫妇被厄内斯特·奥修德和他的妻子爱丽丝收留，住在他们维苏尔的乡村家中，直到1879年卡米尔去世。身为商店老板和艺术赞助人的厄内斯特·奥修德在不久之后宣布破产，逃到比利时，而爱丽丝照顾着自己的六个孩子和莫奈的两个男孩。然后在1883年，莫奈从火车上看到了果园里的农舍，于是他全家都搬到了吉维尼。9年后，厄内斯特·奥修德去世，莫奈就和爱丽丝结婚了。

房子、谷仓（莫奈的工作室）和周围的土地，都是租来的，莫奈去掉了房子周围难打理的厨用小菜园和前面小路两边的云杉。到1890年，莫奈的作品已经卖得很好。他以约合14.8万元人民币的价格买下了这处房产，并且以主人的身份开始翻修和开发园林。他那著名的蓝绿百叶窗出现了，还有格兰德大道旁立满宽大的铁制玫瑰藤架。在旁边对称的花圃里，鸢尾花盛开在两侧的边界上，罂粟、马鞭草和旱金莲自然地生长。色彩设计增强了光的自然效果：蓝色在阴影中、黄色和橙色在阳光下。高大的角锥形花架上的普通玫瑰和铁线莲，从较低处的植栽中浮现出来。樱桃树和杏树开花了，树下生长着很多可置于篮中的植物，仿佛它们被采摘和摆放在那里。莫奈雇用了7个园丁，他们每天都收到主人的书面指示，而且这时兰花的温室和第二个工作室也建好了。

莫奈于1893年买下了道路另一边的土地，做了一个水花园，他通过与当地政客的谈判，成功地将河流改道。格兰德大道尽头墙上的门，现在是通向一个完全不同类型园林的入口。即使这不是严格意义上的日本风格（莫奈是一个葛饰北斋版画的收藏家），它的简约观念也是日本的——环绕着树木、灌木和竹子的蜻蜓池塘，被一座覆盖紫藤的绿色桥梁跨越，上面覆盖着茂盛、鲜艳的睡莲，这些

↑在1922年左右，莫奈在他的水花园。池塘被精心照料的蜿蜒小路环绕着，悬挂在桥上的紫藤花，就像柳树一样倒映在水中。

→1899年的日式人行桥。桥和它的倒影，与水中睡莲组成了一个规则式的框架。

↑今天的吉维尼园中，从道路和水上花园通往前门的中央大道。莫奈在春天、盛夏和秋天，一次次地描画了这幅景象。

植物是从法国苗圃主人拉图尔马里尔·克那里买来的，而以一种抽象的方式在巨大的画布上画百合花，最终成为莫奈在晚年非常迷恋的事情。

在美国和当代法国艺术节的许多场合中，吉维尼园成了画家的焦点。莫奈和他的邻居画家古斯塔夫·凯利波特交换了植物，古斯塔夫当时创作的更简单的花园画作，通过对比，清楚地展示了莫奈的花园是多么的奢侈。在莫奈去世后，他的花园不可避免地凋谢了，直到20世纪80年代，由于基金会的支持，才为花园带来了全新的生命。

格特鲁德·杰基尔

整体地布置色彩
1843—1932年

1843年
1000名拓荒者乘坐第一辆大型马车，在俄勒冈州的小路上前往美国西北部。
《经济学人》首次在伦敦出版。
小说家亨利·詹姆斯诞生。

1932年
在英国，詹姆斯·查德威克发现了中子。
悉尼海港大桥开通。
美国在大萧条中金融触底。

随着19世纪的结束，那些富有想象力和宏大的园林逐渐接近尾声，但规模更小、更优雅的，甚至是家庭化的园林（往往占地几亩而不是几十亩）正在悄然兴起。其中最受尊敬的创作者是格特鲁德·杰基尔小姐，她是自学成才的园林设计师、苗圃植栽者和园林建造者。如果不是因为她与伟大的建筑师和园林设计师埃德温·鲁琴斯的合作，我们今天会了解她吗?当然，她那位于萨里的芒斯特德伍德园，是当时最有意思的典型花园样板。她的15本著作和数千篇刊登在杂志、报纸上的文章，不仅是她那个时代的经典，对于20世纪后半叶植物茂盛的家居花园来说也是无价的指导手册，甚至在今天仍然是为人所崇尚的。这个身形魁梧、长相普通、终生未嫁、才华横溢的女人，对园林界产生了比她能够想象的要大得多的影响。

杰基尔出生于19世纪40年代，与克劳德·莫奈和托马斯·哈迪身处同一时代，当时维多利亚女王刚刚加冕不久。当她在20世纪30年代设计自己最后的种植方案时，现代主义已经悄然到来。尽管现代主义在欧洲的美术中确立了自己的地位，却从未真正地在欧洲的园林中占有一席之地。在杰基尔设计的巅峰时期（从1890年到1914年），她的作品可能会被人们描述为当代怀旧风格。

应该怎么念杰基尔的名字呢？她最喜欢的是"吉基尔"（如园丁们所说的"与糖浆一词押韵"）。她出生在伦敦皮卡迪利以北的一个虽然不是贵族却

→1879年的杰基尔，独立而强硬。她的视力不太好。

富有的家庭中，并在那里生活了5年。后来全家搬到了布莱姆利，那里绿叶繁茂，当时完全是属于西萨里郡乡村的，就像哈迪小说中的威塞克斯一样，乡村的传统手工艺和农业生活依然盛行。这对于杰基尔和她的4个兄弟来说，是一个舒适的生活环境，使她成长为一个特立独行、聪明、机智的女孩。作为一个"假小子"，她相信自己的大多数决定都是对的，她学会了唱歌（她母亲是门德尔松的朋友），还学会了骑马，以及辨认乡村的野生植物和了解劳动民众村舍里的传统

手艺。并不是说她是一个阶级制度的反叛者，她在一所满是仆人的屋子里长大，后来在和大批园丁打交道中也很强硬。

跟其他年轻的女士一样，她所受教育的一部分是学会画画和水彩，她在这方面取得了很大成就。在新切尔滕汉姆女子学院的那段短暂时间，并不适合这个沉默寡言的女孩，她更感兴趣的是能用手做什么，而不是怎样的行为举止和结婚生活的前景。18岁时，她在伦敦南肯辛顿艺术学院展示了自己的艺术抱负。她对艺术评论家和作家约翰·拉斯金的理论充满了热情，拉斯金颇具影响力的《现代画家》，在1843年，也是她出生的那一年第一次出版（她后来认识了拉斯金和威廉·莫里斯，两位工艺美术运动的创始人）。她学习了色彩的和谐，并熟悉了园艺协会（后来的皇家园艺协会）复杂拘谨的规则式的肯辛顿花园——威廉·安德鲁斯·尼尔斯菲尔德的风格，后来被她称为冰冷而无灵魂。她也开始和她的艺术家朋友们在地中海国家旅行、画风景花卉和学习当地手艺。

↑杰基尔在阿尔及利亚旅行时的一幅画作。她对异国植物和明亮光线的熟悉程度，就像她对英国气候柔和效果的感受一般。

　　杰基尔在25岁时和她的家人一起搬到了伯克夏郡的沃格拉夫山，当时她在很多技能方面都达到了很高的成就，如金、银、皮革、藤编和蕾丝的制作，插花艺术、摄影、骑马和唱歌。她的画作在伦敦展出，朋友们开始向她寻求设计作品来装饰房子。她认识了她未来的朋友威廉·罗宾逊，后来又聘请罗宾逊为她的各种园艺杂志撰稿，并在1883年出版的《英国花园》一书中承担色彩主题部分。杰基尔也开始为花园和种植提供建议和设计。1876年，在父亲去世后，她和母亲搬回了萨里。杰基尔回到她心爱的枝叶茂盛的风景中，有种宽慰和愉快的感觉。她在孟斯泰德建了一所房子，包括一个园林，有一个花坛、一个48米长的花卉边界、藤架、岩石花园和坚果树小路。

↓鲁琴斯为杰基尔（大多是和她一起）建造芒斯特德伍德园的房子和园林，它没有宏伟的外观，却静静地坐落在树林间。

↑杰基尔在芒斯特德伍德园的米迦勒斯雏菊边界的照片。由于视力不好，因此她能看到更大的画面，来评估一种颜色或者一种颜色如何渐变到下一个颜色，这也是她经常描写的一个主题。

因为渴望独立，40岁的杰基尔在有了足够的收入后，买下了一块毗邻的6公顷的三角形林地。在那里，她为自己独自建造一座房子和花园，花园经过6年的培育后（部分是规则式的，部分是野生自然的）发展得很好。杰基尔在为房子的设计发愁时，碰巧遇到了年轻的、刚刚崭露头角的建筑师——埃德温·鲁琴斯。在深度的合作之后，他们很快为园林总设计师建造了一个小屋，这是给杰基尔的临时木屋，后来又在花园中那块保留已久的位置上建造了主屋。

1890—1914年，杰基尔和鲁琴斯共同建造了100多座花园，这是她所承担的400个受委托项目的四分之一。"鲁琴斯和杰基尔园林"后来成为爱德华风格中高质量的建造和复杂的种植混合体的代名词。杰基尔在许多项目中，只负责种植设计或者部分园林设计，而不是整个花园。她还与其他几位具有影响力的建筑师合作，如罗伯特·罗利默、赫伯特·贝克和M.H.贝利·斯科特。他们的合作最初是由她家族关系促成的，但后来随着鲁琴斯名气的提升（她与鲁琴斯的合作为她在艺术界和富裕社会中建立了声誉和名望），愿意与她合作的人越来越多。

鲁琴斯和杰基尔的合作方式是先一起参观现场，并讨论它的建筑和园林容量，彼此帮助对方看到它的机会和局限。然后，由鲁琴斯做设计方案，杰基尔画出种植设计图。与杰基尔的种植不同，当时流行的是令人愉快的、密集的种植观念，与之相反，杰基尔用一种轻快、疏松的方式种植，这使得鲁琴斯的复杂建筑和水装置可以被表现到极致。她的种植方案只有在她的大花墙和林地花园中，才显得更加奢华。实际上，在庭院和房屋周围的许多简单种植都是如此的稀疏和平淡无奇，如果不是坐落在旁边的工艺美术风格建筑，这些种植可能只被当作20世纪40年代和50年代的设计作品了。

鲁琴斯和杰基尔为《乡村生活》杂志的所有者爱德华·哈德森做了3个园林后，杰基尔开始为这家杂志写作，并为他们的作品做宣传，如教区办公所、在伯

↓ 这张照片摄于芒斯特德伍德园的边缘花带。在园林中出现这样的大边缘花带是很常见的，因为当时的花园劳力要比现在便宜得多。

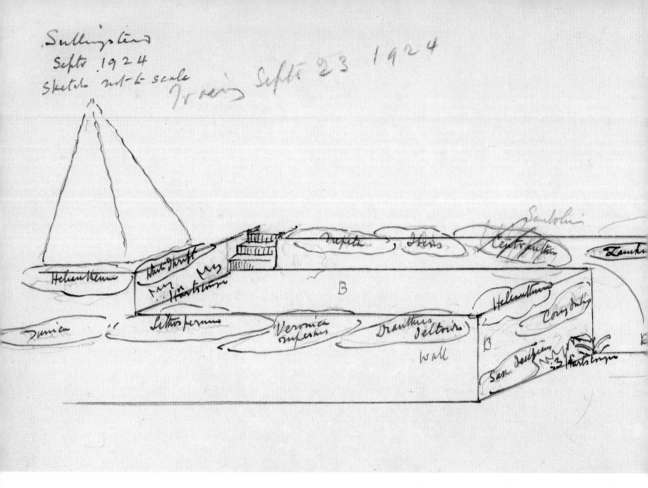

克郡的索宁、林迪斯法恩城堡、诺斯昂伯和萨里郡的普朗普顿。有时，花园的图案复杂，就像汉普郡赫斯特库姆的萨姆赛特和沼泽地；有时，一个园林会将人引向一个壮丽的乡村景色，就像萨里的果园；有时，园林会被封闭起来，就像在教区办公所一样。但是，杰基尔的作品中总是有着丰富内容。她拥有许多植物的经验和知识，包括自己育种的植物，她很重视叶子的重要性，以一种完全新鲜的种植方式种植植物。

虽然鲁琴斯是杰基尔的朋友，但在1914年后，随着他建筑师的职业生涯在国际上的发展，他们的合作越来越少。但杰基尔仍然忙于自己的种植设计，现在大部分都是通过通信来完成的，因为她本来就不好的视力更糟糕了。在她生命的最后25年里，她宁愿待在芒斯特德伍德园附近。

她的书不论现在还是在当时，都受到了高度的重视，特别是《树林和花园》（1899年）和《花卉花园的色彩》（1908年）。它们对复杂种植和植物间联系的指导，对所有园丁来说仍然是有价值的。如今，一些具有时尚意识的园丁，

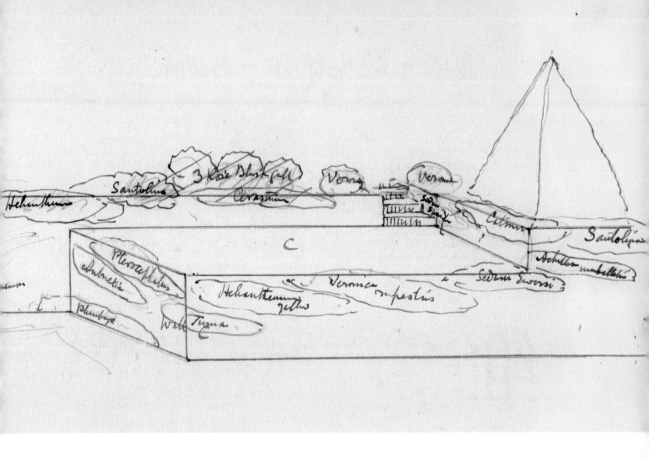

↑这是杰基尔为苏林斯戴德（1924年）绘制的一个不同寻常的种植三维透视图，特别表现在后面的植物。杰基尔经常为自己的设计提供许多植物，有时会亲自监督种植。

对杰基尔的风格表示不屑，认为它存在得过久，并阻碍了现代主义设计的发展。专注于草类植物和多年生植物的新多年生植物设计学院，发现杰基尔的工艺美术风格过时了。事实上，这两者都是浪漫的形式。杰基尔的浪漫形式，是在一个工业化时代里的简约和失传的手艺；而新多年生植物主义者的浪漫形式，是在后工业化时代中，表达自然的复杂性和逐渐消失的农业田园生活。

在杰基尔死后，芒斯特德伍德园很快就衰败了，她的大部分园林作品也都消失了。现今有几个园林，尤其是一些和鲁琴斯的合作作品已恢复并给予了法定保护。杰基尔的论文也遗失了一部分，但主要的部分由园林设计师毕特里克斯·法兰德购买，并保存在加州大学伯克利分校。

维塔·萨克维尔-韦斯特

规则式的设计和灵活不拘的种植
1892—1962年

1892年	1962年
第一批到达美洲的移民抵达埃利斯岛。	纳尔森·曼德拉被逮捕接受审判。
柴可夫斯基的《胡桃夹子》在圣彼得堡初演。	玛丽莲·梦露去世。
托马斯·爱迪生为他的双向电报机申请专利。	爱德华·阿尔比的《灵欲春宵》在百老汇开演。
《指环王》作者J.R.R.托尔金出生。	雷切尔·卡森出版《寂静的春天》。

维塔·萨克维尔-韦斯特在靠近肯特克兰布鲁克的西辛赫斯特城堡花园设计完成的园林，是英国每年接待游客最多的场所。世界各地的参观者都慕名而来，导致这个园林的管理者经常需要发放限时进门的门票。从没有任何一个园林这么受欢迎，这是为什么呢？这个园林中种植着浪漫的植物、设计简单而古典，还被分成适度尺寸的间隔，大家可以想象自己的家也被设计成这样。但更重要的是，西辛赫斯特城堡花园由于它的创造者维塔·萨克维尔-韦斯特和她的丈夫哈罗德·尼科尔森的不凡故事而知名。

他们居住的"城堡"，是由园林里的几座彼此有些距离的建筑构成。参观者可以进入其中的一部分，比如维塔·萨克维尔-韦斯特曾经居住和工作的伊丽莎白塔，去欣赏花园的美景和眺望她深爱的肯特郡。总之，西辛赫斯特城堡花园既适合家居生活又具有波西米亚风格，而且还有不可抗拒的浪漫主义风格，怪不得大家会喜欢它。

生于肯特郡诺尔的维塔，出生时名为维多利亚·玛丽·萨克维尔-韦斯特，是萨克维尔男爵三世的独生女。诺尔的伊丽莎白式的宅邸，双翼总共占地1.6公顷，这里是维塔童年时的领地。作为一个作家，她喜欢这里的历史，她的

→哈罗德·尼科尔森和维塔·萨克维尔-韦斯特，于1960年坐在西辛赫斯特城堡花园的台阶上。总的来说，哈罗德是空间的设计者，而维塔是装饰这个空间的植栽者，这是一个坦诚、开放，并且成功的婚姻。

↑一张1880年的肯特郡诺尔的宅邸的插画。维塔·萨克维尔-韦斯特出生在这个位于鹿苑里的庞大的伊丽莎白式宅邸，她非常喜欢这里，甚至当她还是一个孩子的时候就经常把这里展示给别人看，她对没有继承这里感到深深的失望。

家族和这房子里的艺术品可以追溯到16世纪。她生命中最大的遗憾，是不能继承诺尔的宅邸，因为继承权是跟着头衔的，所以诺尔的宅邸传给了她的表弟。从某种意义上讲，西辛赫斯特城堡花园是对维塔失去诺尔的宅邸的补偿，她喜欢和眷恋着这里的景色和历史（西辛赫斯特城堡花园曾经由萨克维尔家族拥有）。

像那个年代里所有出身与她相似的女孩儿一样，维塔在18岁进入贵族社会，她参加市区和郊外的舞会，被一些富有的年轻男子追求。她游遍大半个欧洲，虽然她对同性有强烈的依恋，但是令人惊奇的是，在1913年，她和哈罗德·尼科尔森，这个充满生机、自命不凡、又比她大5岁的年轻外交官结婚了。尼科尔森是外交官和爵士亚瑟·尼科尔森的儿子，这是一个真正的才智结合的婚姻。

起初这对夫妇住在哈罗德就职的康斯坦丁堡，他们在诺尔附近买了一处房产，叫作"长屋"。他们在这里养育了两个男孩，还修建了他们的第一个园林。虽然婚姻并没有为维塔带来巨大财富，但长屋还是在一战间扩建成一个很大的、她所习惯的有很多佣人的房子。建筑师和园林设计师埃德温·鲁琴斯是维塔母亲的好友，他被请来帮忙设计这个园林。维塔开始以一个业余爱好者的身份学习植物，但她还是认为自己是一个作家、诗人和小说家，这是她直到去世都倾力追求、而且也颇为成功的浪漫理想。

在长屋的生活并不顺利。维塔爱上了维埃里·特莱弗西斯——威尔士王子的情妇艾利斯·凯珀尔的女儿。这对爱人私奔到巴黎，维塔在这里假扮成男人，结果成为英国的丑闻。这是一个曲折的故事，哈罗德和维埃里的丈夫丹尼斯，在减缓丑闻的发展直至终结中扮演了重要的角色。虽然，维塔高兴地回到哈罗德和她的家庭"阳光港湾"中，但这件事为他们日后的婚姻埋下了隐患。他们两人都和同性私通，但是最后总是会回到对方安全、又充满爱意的怀抱中。维塔不确定的性取向对于她来说，既是欢愉也是痛苦，但这也与她对生活的浪漫观念相符（她的母亲也曾有过一段开放式婚姻）。今天，比维塔和维埃里·特莱弗西斯私通更著名的，是她和小说家弗吉尼亚·沃尔夫的柏拉图式的关系，沃尔夫住在布鲁姆斯贝里，比维塔年长10岁。维塔与弗吉尼亚在1922年相识，两人关系亲密，直至沃尔夫在1941年自杀。

↓从伊丽莎白塔中看到的西辛赫斯特城堡花园。小屋是这个家庭前后几栋独立建筑物中的一个，它们共同组成一个使用的宅邸。园林的间隔是变化的，包括一个圆形、一个直线形、一片简约的草地和一片混合的植物种植。

↑春天的坚果园，从树林中小路的不同方向看去都是一个理想化的林地。

←白色花园，远处是高塔。古老的砖墙和大大小小的树篱，构成花园的框架结构，即便在冬天也非常吸引人。

20世纪20年代，哈罗德放弃了外交官工作，开始专心写作，包括新闻、自传和小说。他每周的大部分时间都待在伦敦的家中，周末则和维塔在长屋中度过。但当附近养的鸡开始威胁和破坏长屋的平静时，他们便开始寻找新家。他们考虑过浪漫的、有护城河的苏塞克斯城堡博迪安，但是最终在1930年，他们在一个小的农业庄园的中央、那被古老护城河和果园包围的、一座破旧得几乎不能居住的建筑中安顿下来，这是西辛赫斯特城堡花园的遗址。修复这里，占据了他们余生的时光。

高塔成为维塔休息和写作时的私人避难所，哈罗德的地盘在南屋，他们的两个儿子奈杰尔和本尼迪克住在传教士屋，所有人共用的一个巨大的起居室，位于类似诺尔的宅邸的入口处。在日常生活中，他们需要时常穿越庭院。

维塔忙于写作。她的诗作《大地》深得威廉·罗宾逊的赏识，而且在1927年得到了赫松登奖。同时，他们的园林也开始成形。身为国会议员的哈罗德以传统风格设计了空间上的古典布局，维塔则在上边种上了植物。谁的功劳更大呢？很可能，就像他们的婚姻一样，它是一个两极的成功结合。

像诺尔的宅邸一样，这个园林既有简约的绿色空间，也有被几何形分割的小型花园，维塔在那里试验微妙的色调。那里既有一片长长的、在报春花丛中的、连格特鲁德·杰基尔也会羡慕的坚果林，也有维塔喜欢的、让她迅速变成一个公认专家的、充满各式玫瑰的花园，还有插了早春树苗的酸橙树小路（哈罗德的"菩提树下大街"）及果园，当然也少不了紫杉树篱。由一棵银梨树遮映的白色花园，因托马斯·罗桑迪克创作的贞洁处女像而闻名，在月光下看起来特别的美妙。

在战争年代，哈罗德在伦敦忙碌，而他的儿子们在军队效力。园林由儿童和妇女照料，草地上的干草被剪掉，紫杉篱笆总是修剪得很好。此时，维塔正在室内写另一首宏大的诗篇——《园林》（1946年出版），这是一个浪漫的、对品位和回忆的探索，与奥登和艾略特这样的现代诗人风格相去甚远。即便是这样，它还是赢得了海内曼奖，维塔把所有的奖金都花在了买杜鹃花上。

自从1938年，园林根据国家园林计划一直对参观者开放（维塔称他们为"先令者"，因为门票就是一先令），园林的人气开始增长。在1946年，她在《观察者报》上开了一个专栏，为此写了14年，一直到她去世。专栏的风格亲切，深受读者的欢迎，西辛赫斯特城堡花园的到访者，也感到十分亲切。作为一个品位极佳的业余爱好者，维塔坚定地保持着她优越的爱德华风格理念。她在维护园林的同时，还请专业人员帮忙照看。她花时间游历全国，视察和留宿于郊区的优质房子中，以激发她写作的灵感，同时她还是国家信托园林委员会的成员。皇家园艺协会给她颁发了维多利亚荣誉勋章，因为维塔对诗作的贡献，她还被授予荣誉勋爵头衔。

↑维塔的书作《在你的园林里》，是她在《观察者报》专栏四部专集中的一部，以聊天式的语气，描述宏大的场景。

西辛赫斯特城堡花园在它的巅峰期是什么样子呢？比起今天国家信托组织的照顾，当时的它更凌乱。维塔的风格，总是充满艺术感和刻意的凌乱，从不过于干净、简朴。她认为，干净和简朴是她观察到的"职业园林师"犯的一个错误，也因此她曾经攻击（联合）总园林师——帕米拉·施沃特和西贝尔·克鲁兹伯格女士。但是1967年之后，由于维塔的儿子奈杰尔不想付遗产税，而将园林转让给国家信托组织，但园林仍由这两位女士继续照料。维塔曾经发誓，只要她还活着，她的园林就绝不能落入国家信托组织的手中，无论她是多么尊重这个机构。

在维塔生命中的最后5年，她和哈罗德乘坐了6周的冬季游艇到达日本、南美和加勒比海，去观赏大自然的美丽景色，他们在一起度过了他们婚姻中最长的一段时间。维塔被关节炎所困扰，有一次她甚至在塔里的楼梯上摔倒。1960年，疲倦的她停止了专栏写作，只专心做园艺。病魔接踵而来，她被诊断得了癌症，并在1962年去世，哈罗德也在1968年随她而去。

↓白色花园的设计，为来自世界各地的人带来创作灵感，而月光中的它是最好看的。它的吸引力在于，尽管有着丰富的植物品种，但是在很多方面它是简洁的，是丰富与简洁共存的最好案例。

米恩·瑞斯

实验新材料和新植物
1904—1999年

1904年

美国开始在巴拿马运河工作。

中国领导人邓小平诞生。

普契尼的《蝴蝶夫人》在米兰斯卡拉剧院首映。

第一条纽约地铁线路开放。

1999年

弗拉基米尔·普京成为俄罗斯的代理总统。

塔博·姆贝基当选南非总统。

比尔·盖茨成为世界首富。

梅利莎病毒攻击互联网。

有时候，一个艺术家的作品永远不会获得大众的认可，但他仍然可以一种安静的方式得到同行们最崇高的敬意。一位音乐家们的音乐家，一位建筑师们的建筑师，或者像米恩·瑞斯一样，有一位园林设计师们的园林设计师。今天的设计师会告诉你，瑞斯是20世纪末最重要的园林设计师之一。也许她作为能够将两种风格进行连接的艺术家之一，并不是令人惊讶的新奇，但是如果没有她的影响，下一代设计师可能就不会出现。瑞斯确实形成了这样的一个连接——在传统的20世纪中期的园林设计和更彻底的新多年生植物运动的设计潮流之间，正如在皮特·奥多夫等设计师的作品中见到的那样。

1888年，瑞斯的父亲邦尼·瑞斯在22岁时创办了皇家莫尔海姆苗圃。他曾是一名种子商，后来成为荷兰东部德姆斯瓦特艺术区的一名飞燕草和夹竹桃育种者。该公司发展迅速，在伦敦花卉展览会上有展览，并成为欧洲最大的多年生植物供应商之一。该公司拥有自己的窄轨轨道，并在苗圃周围运行，用于移动植物，这是如今在高科技玻璃花房中运用移动苗床系统进行荷兰花卉生产的前身。1904年，苗圃收到了皇家特许状，甚至还在1909年为美国做广告。它的名字出现在世界闻名的植物上，如蓝色云杉的"莫尔海姆黑云"、著名的莫尔海姆堆心菊（曾经用来制作鼻烟），还有一种短的白色夹竹桃品种"米恩·瑞斯"。

↑米恩·瑞斯在进行设计时的工作照片。

　　19岁时的瑞斯开始为她的父亲工作，但不是在植物生产方面，而是作为园林景观方面的设计师，这是她父亲发展起来的业务，以应对第一次世界大战期间，多年生植物生意的减少。"今天是我职业生涯的第一天"，她在自己的日记中写道。她的能力很快就彰显出来了，她的责任也逐渐增加，直到她掌管了这个公司。她在父母的房子旁建园林，在果园树下的一个小方池塘处，两条笔直的小径相交，池塘边种植着林地多年生的、不需要打理的植物。这是一场灾难，因为她为环境所选择的植物完全错了，这使她意识到有必要了解哪些植物搭配在一起可以长得更好。所以在1924年，她开始在苗圃里做一系列实验来观察什么植物能一起繁荣，并为苗圃客户做示范。最后，她的园林占地达到6.5公顷。

　　第一个被造出来的是野生花园（1924年），这是她为父母创造的一个更成功的版本。在那里，植物在很大程度上依靠自己传播和繁荣。旧实验花园（1927年）在充足的阳光下更有色彩了，一条长长的、符合杰基尔的传统花卉边界，面

↑罗莎·斯皮尔的房子。使用铁路枕木成为瑞斯的标志之一，她对草类的慷慨使用，预示着新多年生植物运动的开始。

对着横穿草坪的灌木群。这样的设计，用来在花季过后的季节里展示边界，看起来十分漂亮。

　　她的灵感来自哪里？当时关于创造性植物组合的文章太少了，尽管她确实尊重了卡尔·福斯特（他是来自波茨坦的一名苗圃工人，也是在欧洲的城市种植中使用多年生植物的奠基人）的作品。后来瑞斯去了英国，在她的芒斯特德伍德园中，她见到了格特鲁德·杰基尔。她在肯特郡坦布里奇韦尔斯的华莱士公司里也待了一段时间，这是英国当时最重要的苗圃之一，她还在柏林达勒姆植物园新成立的园林和景观设计学院待了一个学期。

　　瑞斯意识到，如果想成功地建造花园，就需要学习结构设计和种植。她于1931—1932年在代尔夫特大学学习建筑学，这是一门传统的课程，但这使她能够与有远见的建筑师、景观设计师和城市规划师见面。通过这些接触，她被邀请与加里特里特·里瓦尔德做一个联合项目。里瓦尔德是一位来自乌得勒支的建筑师，他曾在包豪斯做过展览，并且是德斯蒂尔联盟的成员。在20世纪20年代，他开始对福利住房和使用预制混凝土产生兴趣。他与瑞斯继续为德普罗格公司建造了一个新的工厂，这是一个在1923年以合作形式成立的纺织公司。在工厂附近的博吉克，瑞斯又建造了一个公园。在第二次世界大战之前的几年中，她的大部分工作都是为那些想拥有"英式设计风格"的私人客户服务的。此时她仍然继续扩建在莫尔海姆的实验花园，这是她工作的一个对外展示。

瑞斯对植物的了解，已经足够让她出版自己的文字了。在丈夫西奥·穆索特的鼓励下 [穆索特是周报《绿色阿姆斯特丹人》（叫绿色，是因为墨水的颜色是绿色）的出版商]，瑞斯于1939年出版了关于创建和维护边界的书，总共有6个版本，后来被翻译成德语和瑞典语。1941年，她出版了一本关于园林中池塘的书。在二战结束后的几年里，私人客户的佣金减少了，她的工作便转向了市政和公共项目，而后继续写作。她在1950年出版的关于多年生植物的书，是和她的生物学家哥

↓瑞斯为KNSM公司在1956年建造的一个小公园，KNSM是一家在阿姆斯特丹的中心水域拥有自己岛屿的航运公司。这是为移居加勒比海或苏里南的侨民和他们的亲属准备的小公园，也被工作人员使用。

哥丹·瑞斯博士一起写的。在当时，这可是一件不同寻常的事情。它涵盖了多年生植物的历史，以及如何在不同情况下使用它们，从农舍花园到屋顶花园，详细地介绍了它们生长的地方、它们喜欢的土壤及如何照顾它们。1955年，瑞斯和她的丈夫创办了一个季刊，该杂志的名字为《我们自己的园林》，至今它仍在蓬勃发展。对于瑞斯来说，这是一个普及她的多年生植物和现代园林设计理念的机会。

她的设计是现代性的吗？在战后的那些年里，她因使用对角线和斜线，而不是传统的四方形，成为闻名于业界的"倾斜瑞思"。这一结构有助于使小空间看起来更大，使不规则的空间也不那么难以处理。在她最新设计的莫尔海姆示范园林中，也可以看到这样的设计概念。

1960年的"下沉花园"，给她带来了一个新绰号"枕木瑞斯"，因为她第一次推崇使用木制铁路枕木（即铁路轨枕），作为制作台阶和升高花床的手段。20年后，这将成为英国流行的家庭花园中的时尚极致。在20世纪七八十年代，更多的莫

↓→瑞斯的两个示范花园：一个是自然主义的，一个是规则式的。它们展示了无论是繁茂的自然种植，还是依赖于简单方块的单一品种种植，都可以与现代建筑愉快地结合在一起。

尔海姆风格花园出现了，一个蒙德里安画作几何风格的原色方形花园；一个没有草坪的阶地花台；一个黄色圆形花园，圆形的落叶松树篱环绕成环形的黄色边缘，周围环绕着铺了边路的环形草坪。在沼泽花园中，垫脚石在水面形成一条线。而在1993年建成的芳草花园，则展示了她对在砾石中种植草类的热爱。

　　米恩·瑞斯园林在2008年从苗圃中独立后依然存在，其中的三个花园：野生花园、旧实验花园和水上花园，已被荷兰政府宣布为国家名胜保护区。它们的接连代表了瑞斯一生中园林设计的变化，展示着是什么让她的风格如此被设计师同行和媒体钦佩——那就是简洁、目标明确并且未经修饰地使用几何形态。她利用现代材料，如混凝土、木材和塑料，以现代主义风格的多年生植物和草类的混合种植进行软化设计，并鲜明、大胆地在居家环境中使用。业余园林设计者们可能对瑞斯并不熟悉，但在欧洲各地，人们往往会无意识地照搬她的设计理念。

格拉汉姆·斯图亚特·托马斯

古老植物和园林的保护者
1909—2003年

20世纪初

贞德在罗马被册封为圣女。

发现脊髓灰质炎病毒。

印第安阿柏切族首领杰罗尼莫去世。

胶木作为一种早期塑料被运用于生产中。

2003年

超音速协和式客机进行其最后一次商业飞行。

匈牙利、斯洛伐克、波兰、捷克共和国、拉脱维亚、爱沙尼亚等国家投票加入欧盟。

丹尼尔·利伯斯金的新世界贸易中心总体规划被采纳。

除了许多其他才能之外，格拉汉姆·斯图尔特·托马斯的确是一个专业的园林设计师，因为他在20世纪末，一直处于园林修复工作的最前沿。因此，他是在英国国内、国外的旅游业中发挥着重要作用的运动先锋。他的其他才能也让人印象深刻，例如他是成功的苗木培育者、玫瑰收藏家和历史学家，在植物绘画和水彩画方面技艺高超的艺术家、多产的作家、热情的歌手，还是含蓄的绅士、花花公子。一件马甲和在纽扣孔中插一朵花，是他日常装束的一部分。

托马斯出生在剑桥，父亲在剑桥大学工作，他在小时候就对植物产生了兴趣。6岁的时候，他培育出了倒挂金钟，不久之后，他就开始用零花钱来收集高山植物。8岁时，他宣布自己将成为一名园林设计师。到15岁时，他已经开始了他毕生热爱的玫瑰收藏工作。17岁时，他在剑桥大学植物园当实习生，这让他可以旁听大学的植物学讲座，他还在那里从事玫瑰花园的开发工作。

到21岁时，托马斯在斯蒂夫尼奇的六山苗圃工作，这个苗圃是由著名的高山植物专家克拉伦斯·艾略特负责的。在那里，他遇见了后来成为世界上伟大的古玫瑰种植者之一的彼得·比尔斯。托马斯很快就在萨里郡的希灵斯苗圃里当了领班，几年之后成为一名主管。他知道格特鲁德·杰基尔的作品，于是写信给已经88岁的她，于是杰基尔请他喝茶，然后让他（就像她对待鲁琴斯一样）完成一个小的项目。托马斯会骑自行车去芒斯特德伍德园，与杰基尔讨论

↑格拉汉姆·斯图亚特·托马斯手拿玫瑰"格拉汉姆·托马斯"，这是由他的朋友和培育者大卫·奥斯丁在1983年引入的，托马斯选择要以他名字命名的新品玫瑰。2000年，世界玫瑰联合学会把它评选为世界上最受欢迎的玫瑰。

颜色，以及如何以一种美术形式建立园林。与此同时，他对玫瑰的迷恋也在不断增长，尤其是那些古老品种，其中很多玫瑰一年只开一次花，但它们的魅力和美丽远远超出了被修剪得很厉害、常常被机器制作成现代混合茶玫和花束的玫瑰。托马斯喜欢的玫瑰包括不同大小和品质的灌木，还有攀援玫瑰。

他结识了当时最敏锐的玫瑰狂热爱好者，包括在尼芒斯和康斯坦斯斯普里的梅塞尔家族。但同时，他也看到了收藏玫瑰珍品的苗圃的破产，它们的植物也随之消失了。他与种植园主和老伊顿公学的毕业生詹姆斯·拉塞尔成为朋友，拉塞尔买下了桑宁戴尔的苗圃，专精于林地灌木、杜鹃花及古老玫瑰。托马斯为重

要的老校友客户所做的设计规划，取得了巨大的成功。比拉塞尔大11岁的托马斯，被聘为苗圃经理和资金经理（他后来成为了一名主管）。苗圃也因为成了一个植物装饰观赏地而闻名。它是观赏玫瑰和杜鹃花的好地方，在那里，落叶植物的种植规划与花卉一样都富有技巧。

国家信托组织在1948年接收海德科特花园作为第一个园林的时候，托马斯被邀请作为该项目的顾问。1955年，他被任命为正式园林顾问，并在这个位置上工作了20年，因为他的服务而被授予了大英帝国勋章。托马斯的职责，包括横跨

↑托马斯的玫瑰，于1974年开放在莫蒂斯方特修道院园林里。他最喜欢的色调包括杰基尔风格的柔和色彩，完美地迎合了他的古老玫瑰品种。随着1993年克里斯托弗·劳埃德繁茂多彩的奇异园林到来，色彩时尚发生了巨大的变化。

英格兰、威尔士和北爱尔兰的110个园林。托马斯在一个很好的时机为国家信托组织工作。大家意识到在一处宅邸周围有个好的园林，对游客来说是非常具有吸引力的，但也需要花费更多的钱来维护，但当时的信托园林状况不佳，而且经常惨淡经营。托马斯在110个园林中所取得的成就，就是让它们重获新生。在它的主人劳伦斯·约翰斯顿照料下的海德科特花园清新、鲜活，现在需要重新恢复；在西辛赫斯特城堡花园，维塔·萨克维尔-韦斯特相当浪漫和混乱的园艺方式，在托马斯的帮助下变得更好；在北爱尔兰的斯图尔特山，能够满足托马斯对不同寻常植物的兴趣；在威尔特郡的斯托海德园，他避免了亨利·霍尔的风景杰作被杜鹃花覆盖，并且让湖水和景色再现光彩。

　　作为一名公认的专家，托马斯为桑宁戴尔苗圃写了一本关于玫瑰的手册，这是他三本最重要著作的前身。这三本书分别是《古老的灌木玫瑰》（1955年，由维塔·萨克维尔-韦斯特书写的前言）、《今天的灌木玫瑰》（1962年），以及《攀援玫瑰的古往今来》（1965年）。在这些书中，他谈到了野生物种及它们是如何通过杂交培育出不同种类的玫瑰，如蔓玫、茶玫、光叶蔷薇、杂

→托马斯用水彩绘制的两种嚏根草，一种是"鲍尔斯的黄色"，另一种是暗红圣诞玫瑰，都用在了1976年出版的《多年生花园植物》的封面上。这本书后来成了园林设计师的圣经。

↑莫蒂斯方特修道院。大部分的古老玫瑰品种一年只开一次花，而大多数现代品种的花卉整个花季都能盛开并富有生机，所以托马斯不得不努力工作来创建种植规划和景点，使人们在古老玫瑰不开花的时候也对它有兴趣。

交四季蔷薇、中国蔷薇、苏格兰蔷薇、皱叶蔷薇、波旁玫瑰、法国玫瑰、大马士革玫瑰、百叶蔷薇、白玫瑰、波特兰玫瑰和麝香玫瑰。他描述了被命名的品种，其中有些品种有几百年的历史和浪漫的名字，比如"伊斯帕罕"和"那仙女般的腿"。他最喜欢的玫瑰之一是"哈迪夫人"（1832年），那是一种纯白色的大马士革玫瑰。

托马斯在1971年，卖掉了他在桑宁戴尔苗圃的股份，又为他的玫瑰收藏找了一个新家。有一段时间，他的收藏被草草安置在皇家国家玫瑰学会的花园中，但托马斯希望有一个更好的安置地点。碰巧在汉普郡的一个国家信托地产，是由奥古斯丁修道院创建的莫蒂斯方特修道院，这是个有围墙的厨房花园，它的租赁协议刚刚到期。这是一个去建立完美的新园林，并合理安置托马斯收藏的机会。园林于1974年开业，这是他最好的园林作品。在那里，他的作品很自然地受到了杰基尔的启发。即使在他从国家信托基金退休后，他仍然持有股份，他成为信托的咨询顾问，而不是全职的首席顾问。

莫蒂斯方特修道院被分为四个部分，每一个部分都位处一片草地的中心，处于玫瑰和多年生植物之间甜美的、枝叶茂盛的混合园艺中。一对平行的草本边界，穿越整个园林的中心，从一边的院墙伸展到另一边的院墙，杰基尔为之感到自豪。园林结构，是以低矮的箱形树篱、高耸的紫杉和一些棚架的形式出现。它不是现代风格的作品，但它又是极其出色的，是一种带有教育意义的怀旧风格。人们仍然喜爱它。这是托马斯的纪念碑式的作品，旁边是黄色的"格拉汉姆·托马斯"金银花，还有由他亲爱朋友和大卫·奥斯丁培育的"格拉汉姆·托马斯"黄色玫瑰。

托马斯在自己的小屋中进行写作。他的起居室里有两架钢琴，他可以边弹边唱，还可以写长长的信。他的著作在20世纪70年代间不断出现。《覆盖地面的植物》探索了当时流行的思想，这对托马斯来说是非常有用的，因为他试图治理被忽视的大型园林，并且需要尽量减少维护工作。《多年生园林植物还是现代花卉》（1976年）一书一直是关于多年生植物的伟大著作之一。今天，一些托马斯的植物名字已经改变了，这是由于分类的修订和新品种的取代，但是作为一个种植指南，它仍然和以前一样实用。这两本书，连同托马斯关于玫瑰的书——以及《冬季花园的颜色》《岩石花园和它的植物》，是他作为作家最伟大的成就。

《多年生花园植物》的封面图案，是托马斯自己描绘的一幅黄色和暗红色嚏根草的水彩画，而这本书的内文中也配上了精致的线描画。后来，托马斯为他的植物画像出版了一本书，并因此从皇家园艺协会获得了一枚金牌。他和克里斯托弗·劳埃德一起在专家植物评估委员会工作，这两个人形成了鲜明的对比，劳埃德直言不讳、毫不妥协，而托马斯则挑剔、精确。

在托马斯为国家信托组织工作之后的几年里，修复园林成为他公私兼顾的一个常规事务。园林历史协会成立于1966年，是一家有法律权力的咨询机构。园林考古学成为公认的科学学科，整个社会对修复的态度发生了变化。如果托马斯

↑作为国家信托组织的首席园林顾问，托马斯为复兴伦敦汉姆小屋工作。修复方法是给园林一个经济实惠且时期宽泛的风格复兴，而不是追求一个历史文化的修复。

的方法是让园林重新焕发生机，如果有必要的话也会给予园林一种新的种植方式，或装饰以符合房子的历史年代感，那么新的时尚则是严格、精确的修复，并把园林带回到它在历史上有记录和意义的重大时刻。托马斯曾给园林带来乐趣和增加园林的收入，而现在的目标是力图正确，即使什么都不做，也不对园林做出任何不是基于确凿证据的消遣。只有历史会证明，后一种方式是否会被认为是过度敏感的保护，还是缺乏对园林做出改变的勇气，就像它们历任主人只是一直享受那样。

莱利亚·卡尔泰妮

绚丽的植物在废墟中争奇斗艳

1913—1977年

1913年

福特汽车公司引入了第一条移动装配线。

澳大利亚新联邦首都堪培拉开始建设。

不锈钢在谢菲尔德发明。

斯特拉文斯基的《春天的仪式》在巴黎首映。

1977年

西班牙举行了41年来的首次民主选举。

光纤首次用于电话。

猫王去世。

意大利有很多园林，是由想创造宏大文艺复兴风格的英美侨民建立的，比如在拉福斯的艾丽丝奥里格、赛提内尔别墅的兰伯顿爵士和拉皮耶特拉的哈罗德·阿克顿。但是，一个以野性和自然的威廉·罗宾逊和格特鲁德·杰基尔的传统风格创造出的园林却并不多见。宁法就是这样的一个园林，莱利亚·卡尔泰妮是给它最伟大"阶段"的人。"阶段"这个词是恰当的，因为宁法是一个有着古老历史的园林，但正是莱利亚·卡尔泰妮一直在美化它，直到它被描述为"世界上最浪漫的花园"。卡尔泰妮自己一半是拉丁裔，一半是盎格鲁−撒克逊裔，就如同这个园林。

莱利亚·卡尔泰妮的一生，必须从宁法本身的发展历程开始，这是一个被摧毁的城镇，而她的园林就在城镇的废墟中。宁法位于罗马南部勒皮尼山的岩石崖下面，坐落在彭甸沼泽的边缘。在1381年，在这个城镇人丁兴旺时，它有充足的泉水供应给磨坊和九座教堂的人民使用，但因贵族之间的仇恨而被洗劫、烧毁，居民被屠戮，现在在这里进行园艺工作时仍能挖掘出大量的尸骨。而宁法的领主卡塔尼家族从未重建过它，最好的石头被运去建造他们在塞尔维亚的山顶城堡，而宁法变成了一个绿色的废墟。像19世纪许多被毁坏的修道院一样，因为宁法如画一般的美丽而被欣赏和赞美，这就是它的第一个阶段。

在被洗劫的五个世纪之后，十四世塞蒙塔公爵（卡塔尼头衔）娶了即便不是贵族、也是来自上流社会的英国女人艾达·布托−维尔布莱汉姆。艾达喜爱

↑宁法的园林是在14世纪被洗劫的城镇废墟之上种植的。水源来自于后面的高山，形成了园林的主干，这也是这座园林的灵魂。

乡村，她和丈夫一起在福里亚诺建造了一座漂亮的房子和有一个维多利亚风格的园林，里面全部种植了棕榈树和季节性的花坛植物。宁法有着清澈的泉水，是一个野餐的好地方。

1917年，宁法被传给了他们的儿子盖拉修，他开启了这座园林的第二个阶段。以他考古学家的眼光及一战奥地利战俘的劳动对这座园林进行改造，他清除了树木、稳定了废墟和河岸、修复了塔楼和市政大厅，并种植了松树、柏树和冬青，为园林提供庇护、遮阴和隐私。这是一座多样的园林，有一座茅草凉亭和一座新的木桥，它和一座古老石桥一道开辟了一条通往新桃园的环形路。1934年，没有子女的盖拉修去世，他把宁法留给了他的侄子卡米洛（莱利亚的弟弟），但由侄子的父亲、也就是盖拉修的兄弟罗弗莱多管理。

←莱利亚的一幅画。从远处的沼泽回望宁法，可以看到它标志性的高大柏树和平顶松树。现在这里成了重要的自然保护区，进入园林和保护区是受到严格限制的。

→莱利亚的画作曾在巴黎和美国展出。她对色彩的把控，帮助她形成自己的种植方法。她对杰基尔的色彩运用很熟悉。她还是威廉·罗宾逊的崇拜者。

　　这是宁法的第三个阶段。年轻的卡米洛在第二次世界大战中被杀，实际上是罗弗莱多和他的夫人一起发展的宁法园林。他的夫人名叫玛格丽特·吉尔伯特·查宾，当她从他们巴黎的家搬到宁法居住时，便开始建造这个园林。罗弗莱多设计了水池和溪流，玛格丽特亲手种植了樱花树、垂柳、木兰、鸢尾花和大片的玫瑰来遮盖废墟。

　　宁法的第四个阶段是从玛格丽特把园林转交给女儿莱利亚以后开始的。生于巴黎的莱利亚，已经长成一个苗条、高贵的女人，她喜欢画架，而不是频繁的社交。她的纪念碑上写的是"画家和园林设计师"，对莱利亚来说，绘画占据她生活的主要部分（她的画作曾在法国和美国展出），而且也帮助她形成关于园林里色彩的想法。在宁法，她在园林里与母亲玛格丽特一起工作。到了20世纪40年代，母亲将园林逐渐交给女儿。玛格丽特对文学更有兴趣，她创立了两本文学杂志——《商业》和《昏暗商店》，后者由乔治欧·巴瑟尼编辑（他于1962年，在宁法的园林里，写了大部分《芬治－孔蒂尼斯花园》的内容）。她的杂志撰稿人，包括迪伦·托马斯和杜鲁门·卡波特，他们会在宁法吃午餐，一同出席的还

↓宁法的园林艺术从不让植物覆盖被毁的石雕，保持着植物有控制权的感觉，但也不全是这样，也有经常地修剪和谨慎地修复建筑。

有伊芙琳·瓦、戈尔·维德或是女王殿下。

　　莱利亚在1951年嫁给了休伯特·霍华德（他是外交官埃斯梅·霍华德男爵的儿子）。休伯特在解放期间与盟军到达意大利，并在罗马的军事情报部门工作。休伯特和莱利亚都是虔诚的天主教徒，通过休伯特，莱利亚开始了解并对英国的园林和景观情有独钟，她很欣赏威廉·罗宾逊、格特鲁德·杰基尔和维塔·萨克维尔-韦斯特的作品。在英国，她还发现了著名的希利尔和他儿子建造的苗圃，从1949年起，她不断地从他们那里大批购买植物。

　　在适当的时候，休伯特开始经营宁法庄园，而莱利亚则负责开发园林。在他们结婚几年之后，她进行了癌症手术，并在20世纪60年代进一步治疗，他们没有孩子。相反，宁法成为他们全身心投入的事业。对于休伯特来说，保护成为自然保护区的宁法变得至关重要，他设法为它（包括邻近的沼泽）建立了法律保护。

↓宁法是一个主要由水、草、树木和灌木构成的园林，坐落在古老的墙壁和高耸的针叶树间。这是宁法在春天颜色最鲜艳时的样子。

↑在一片瓦砾堆上生长着的、唯一一个夏天的花卉园林区。植物的生长方式十分狂野，但明显是经过精心栽种的；它的种植技巧并不复杂，但却极其浪漫。

　　莱利亚把园林的边界延伸到河对岸，减少她母亲种植的垂柳面积，选择了更小的树木和灌木。她不断地试验，想看看在这片落石和老石灰砂浆的景观中，会生长出什么植物，比如山茶花可以在此生长，而杜鹃花不行。因此，一种柔和的色调总是被用来装饰废墟，比如苍白的玫瑰、樱桃、木兰、竹子、蕨类、紫藤和薰衣草。无论是教堂的二层，还是只有膝盖高的短墙，都装饰一新。在绚丽的春天里，园中的岩石让她想起英格兰湖区和阿尔卑斯山。她想让园林看起来总是处于被遗弃的边缘，仿佛大自然就要将它收回，但它又实在是太美妙，每一株植物都展现出了真实的色彩。她让宁法成为一个尊重植物的地方，也成为尊重那些在废墟下静静躺着的生命的地方。直到今天，它的浪漫也几乎是触手可及的。

　　1977年莱利亚去世后，休伯特继续照料园林，直到10年后去世。宁法和沼泽，现在由他们的门徒萝拉·马切蒂和冯达则·罗弗莱多·卡尔泰妮精心照料。

罗斯玛丽·维里

在国际、国内都地位显赫

1918—2001年

1918年

德国在11月11日签署停战协定，结束了第一次世界大战。
西班牙流感在堪萨斯州首次发现并开始流行，在6个月内导致3000万人死亡。
在英国，30岁以上的女性可以选举投票。

2001年

在纽约世贸中心的袭击中，有近3000人死亡。
美国入侵阿富汗。
同性婚姻在荷兰合法化。
人类基因组解码完成。
口蹄疫在英国爆发，1000万只羊和牛被宰杀。

罗斯玛丽·维里是英国乡村住宅园林设计的女王，她最出名的设计是在格洛斯特郡科茨沃尔德的巴恩斯利花园。事实上，这个园林可能比她自己认为的更广为人知。因为在高质量的彩色摄影和廉价的印刷术刚刚开始的时候，镜头中的庄园已满是精彩画面。由于维里旺盛的精力和广泛的热情，这个庄园的影响力在大西洋两岸都是巨大的。在她生命结束的时候，罗斯玛丽·维里的18本书，在美国比在英国卖得更好。无论走到哪里，她都具有强大的影响力。

她的幼年经历很普通，罗斯玛丽·桑迪兰兹出生于一个军人家庭，母亲是一名演员。她从小就是一个坚强的人，她的童年被运动和马匹围绕着。她是一个聪明的孩子，1937年到伦敦大学学习经济学和数学，同时也参加了伦敦的初次社交活动。在这里，她认识了比她大5岁的皇家燧发枪团的大卫·维里，并在1939年与他结婚，大卫是剑桥大学三一学院毕业的建筑师和建筑历史学家。在她放弃学位的时候，他们一起搬到了亨斯陆的一个公寓，在今天的希斯罗机场附近。

二战爆发后，大卫加入现役部队，3年中再也没有见到罗斯玛丽。那时，她

→这是杰里·哈普尔的一幅很具有影响力的摄影作品——种满金链花的小路。这个设计是由罗斯玛丽·维里和大卫·维里共同设计的，其中还有罗素·佩吉的帮助。在1980年出版的维里的《英国女人的花园》一书的封面上，也使用了同样的景色。

已经学会了独立，并成为一位母亲。当和平到来的时候，大卫开始在格洛斯特郡的住房部工作，并且工作了20年，他们在那里租了一所房子，维里的生活又一次围绕着打猎、网球、教堂和教育孩子们（现在是4个孩子）。

1951年，当她33岁的时候，她的公婆搬出了他们位于巴恩斯利花园的家（这里靠近西伦塞斯特，是建于1697年的一处漂亮的石屋，有维多利亚风格的扩建），大卫和罗斯玛丽搬了进去。然而，家庭生活的实际情况成为优先考虑的问题。为了建造游泳池、网球场和孩子骑马的草地，园林的一大部分被拆除了。

在20世纪50年代末，随着孩子们的成长或离开，罗斯玛丽现在需要另一种工作，而园林设计能弥补生活的空白。大卫向她介绍了中世纪和17世纪规则式的园林，大卫原本让佩斯·肯设计一座园林，但肯的园林不是这样的。维里借鉴了大卫的设计思路，并形成自己的园林模式。这座园林实际上是他们两个人的合作项目，是一段充满爱的婚姻。就像西辛赫斯特城堡花园的维塔·萨克维尔-韦斯特与她的丈夫哈罗德·尼科尔森一样，是大卫规划了这个园林的布局、框架、结构和景点，而罗斯玛丽则用她的华丽种植装饰、美化了这里。

↑ 结园。

← 巴恩斯利的厨房花园。

这两个设计都源于罗斯玛丽对于园林历史的热情。这个位于法式窗户外面的结园，就像一张小地毯，而厨房花园在后面的一条小路对面，它的画面赋予其完整全新的时尚灵感。

　　罗斯玛丽显露了她的本色。她通过疯狂的阅读来获得知识，包括古老的草本植物和园艺才能的经典著作，如格特鲁德·杰基尔和威廉·罗宾逊的著作。她在园林界结识了许多重要的园林设计师，并向他们学习。她参观了像海德科特花园这样的园林，进入皇家园艺协会的花展，还从南希·琳赛等人具有影响力的苗圃中购买植物。大卫在园林中引入了很多在照片上见到的装饰，比如来自费尔福德公园的古庙、圆形水池及屏风门。他铺设了园路，创建了"酸橙大道"，并委托西蒙·维里蒂创作了他们的第一个雕塑——一根圆柱。罗斯玛丽对园林结构做出的最大贡献，一个是曾出现在她第一本书的封面上的金链花小路，从那时起它就被大量地拍摄和模仿；另一个是厨房花园，这是由法国维兰奇重建的一个规则式园林所启发的观赏蔬菜园。根据对园林历史的了解和阅览的丰富历史园艺书籍，她运用了一种古老的规划几何设计风格，就像她在房子的一面墙下以修剪过的灌木围合成的结园一样。

罗斯玛丽利用有历史意义的特色园林，使它们适应巴恩斯利花园的小环境，然后用她自己丰富的、精心设计的种植来美化它们，这是二战前从未见过的，那些颜色、气味、叶子和运动感都很重要。经历数年的单调和简朴风格之后，热情洋溢的园林设计再次出现。

罗斯玛丽现在开始持续写作，有时是园林设计，有时则是有着精美照片的其他园林的概略介绍。《古典园林设计：如何适应和再现过去的园林特色》（1984年）和《冬天的花园》（1988年），都被认为是她最好的书，而其实《英国女人的园林》（1980年）和《英国人的园林》（1982年）的影响也是巨大的。随后她和大

卫开始在国外旅行和演讲，大卫讲建筑学，罗斯玛丽讲园林，直至1984年大卫去世。

她每年至少去美国一次，宣传她的书，并进行关于园林和巴恩斯利花园的演讲，这吸引了大批欣赏她的观众。这座园林于1970年首次向公众开放，游客们蜂拥而至。罗斯玛丽被邀请为重要人物或机构做种植设计，从查尔斯王子、埃尔顿·约翰、奥斯卡·德拉伦塔到东京的一家百货商店和纽约植物园。尽管有时令人紧张不安，但她仍是一位伟大的沟通者和老师，她总是结交朋友、建立联系、鼓励他人。她在大西洋两岸获得了许多荣誉，其中包括1996年的大英帝国勋章。尽管有健康问题，但她大部分时间都是像往常一样，对园艺充满了热情，并热衷于传授自己的知识。身为英国园林设计大师的她，于2001年去世。在她去世后，巴恩斯利花园被卖掉了，那里如今变成了一家餐馆和酒店。园林在建筑旁边保留着，尽管它已经失去了最初的灵魂，但还是不断地增加着新的设计理念。

↑　罗斯玛丽·维里迎接查尔斯王子。
→　爱尔兰紫杉和蔓生的半日花，它们将巴恩斯利花园通往后门的主路装饰成一幅画。由此可见，罗斯玛丽对小而浪漫的景色十分喜爱。

克里斯托弗·劳埃德

大迪克斯特花园富有探险和创新精神的园林设计师
1921—2006年

1921年

爱尔兰独立战争结束。

俄罗斯饥荒导致500万人死亡。

爱丁堡公爵菲利普王子出生。

2006年

发现号航天飞机发射，成功将在国际空间站执行任务。

亚历山大·利特维年科在伦敦死于钋中毒。

谷歌公司以16.5亿美元收购了YouTube视频网站。

作为一名园林设计师，克里斯托弗·劳埃德很有可能是世界上最广为人知的花卉园艺师，这不仅是因为他在家乡苏塞克斯设计建造了大迪克斯特花园，还因为他生活的时代。

在20世纪晚期，人们对生活品质的追求比以往任何时候都要强烈。他们有汽车，这促进了休闲旅游的发展，越来越多的人拥有了自己的家并愿意与之相伴。媒体用大量的电视和印刷品为他们的园林寻找梦想，而随着数字出版物的兴起和彩色印刷的进步，杂志和书籍的发展也突飞猛进。劳埃德的写作很出色，并且在上世纪最后的30年，他的专业能力一直处于巅峰时期，他使大迪克斯特花园成为虽然不是参观者最多的园林（那个荣誉被授予给西辛赫斯特城堡花园），但却是当今摄影和书中出现最多的花园。

是什么使劳埃德成为如此成功且技艺高超的园艺师呢？是他对细节的关注和对植物开花时间、颜色及文化需求的精确记忆。与他冷酷无情的性格特征相结合，使得他只留下那些他认为最好的植物而放弃其他植物。媒体和公众都称赞他，即使在老年时，他也对创新持有开放态度，以至于媒体和公众都喜欢暗示他，只是为了改变而改变。事实上，是一种非常罕见的乐观和渴望一直驱使着他。

→ 1993年，冷酷的、顽皮的劳埃德把鲁琴斯那令人愉快的、爱德华风格的玫瑰花园变成了一个充满异国情调的鲜花和树叶的生长地。园林历史学家们非常生气，因为这是回到了更古老的19世纪的种植模式。

↑大迪克斯特豪宅在鲁琴斯离去时的样子。这是坐落在一个巨大的砖石基座上的宅邸，是一座和谐的、包含了现代风格扩建的、有古老木制厅堂的宅邸。后来，波浪般的植被将基座隐藏起来，使这所房子有了全新的浪漫气息，但它仍然是以一种长者般亲切的方式，在园林占据主要地位。

劳埃德是黛西和纳撒尼尔·劳埃德所生的六个孩子之一。纳撒尼尔在1910年雇用建筑师埃德温·鲁琴斯，在大迪克斯特豪宅通过合并两个中世纪的木结构房屋，为他们建造一个新家，并加入一些鲁琴斯自己设计的、现代风格的部分。房屋位于一个园林的中心，鲁琴斯为园林设计了框架结构——墙体、小径和开放空间，劳埃德一家可以用他们丰富细致的种植来进行装饰。黛西栽培花卉，富裕的纳撒尼尔从原行业提前退休，现在是一名业余建筑师，他比黛西大13岁，是大迪克斯特花园中许多紫杉树篱和修剪作品的创作者。他在1925年出版的《紫杉修剪的园林技艺》，至今仍然是一本重要而实用的书。

黛西·劳埃德是一位坚定的女主人，对她来说家庭就是一切。事实上，身为人母是她自我价值的核心所在，所以她对她最小的孩子劳埃德（这个有些古怪又非常害羞的小男孩）也要求严厉。当他还是个蹒跚学步的孩子的时候，就是黛西的园林伙伴，在她的膝盖上学习了植物的拉丁文名字和如何拼写这些名字，并在学校与她进行日常园艺方面的通信，这会让许多专业的园丁自叹不如。书面形式的书信写作，是劳埃德生活中必不可少的一部分。母亲和儿子都对这个园林充满了热情，黛西喜欢宏大的爱德华风格的边界，但是作为那个时代的新生事物，她也很喜欢在草地上种植植物，这也是威廉·罗宾逊在1870年出版的《野生花园》中推荐的方式。年轻的劳埃德吸收了这些，继续倾其一生开发这些种植了花卉的草地，并将其放置于规则式的场景中。作为一名优秀的植物学家，他的能力也是一流的。

在剑桥大学学习现代语言的孤独时光，以及二战末期在军队中度过的一段不愉快的经历，让劳埃德在1946年回到英国后，在社交和职业上都感到不确定。他倾向于回到大迪克斯特花园和黛西身边，将大迪克斯特花园向公众开放，并建立一个苗圃。在附近的崴学院攻读装饰园艺的学位后，他在那里进行了短暂的拼写方面的

↓劳埃德、母亲黛西和达克斯猎狗的合照。劳埃德和母亲一直生活在一起，直到1972年她去世，他才开始了一种新的生活。

↑有些人可能会在门前有一个整洁修剪过的草坪，而劳埃德则有一个像威廉·罗宾逊式的、栽种着花卉的草地。劳埃德是一名研究实地植物学的专家，对草地和野花园艺有着毕生的兴趣。

教学工作，但他天生的劳埃德式的顽固导致了工作上的不愉快。他辞职后，回到大迪克斯特花园，对其投入了更多的精力。

20世纪50年代，劳埃德开始在园艺杂志上发表文章，并使用他自己拍摄的优秀照片向业余爱好者及团体讲授他的经验，摄影是从父亲那里继承来的巨大天赋。但他作为一个作家的第一个里程碑，是在1962年成为《乡村生活》杂志的每周专栏作家，在2005年之前一直没有间断过写作（甚至在心脏手术之后）。

他继续出书，特别是专著《铁线莲》（1965年）及之后的三部曲，使他在植栽园艺方面成为一个机智敏锐、善于观察、对人有益的作家。这三部著作分别是《调节良好的园林》（1970年）、《叶子植物》（1973年）和《爱探索的园艺者》（1983年），而第一部书至今仍然是经久不衰、最受大众喜爱的园林经典作品之一。

黛西去世后，只剩劳埃德独自待在大迪克斯特花园。随着母亲控制性影响的消失，劳埃德开始了全新的后半生。他学会了烹饪，大迪克斯特花园成为一个周末聚会的地方，邀请了各个不同兴趣层面的朋友们——园林设计师、植物学家、音乐家和学生。自20世纪30年代格林德堡的歌剧季开始以来，劳埃德就一直在那里观看演出，这一点对他变得越来越重要。他与美食作家简·格里格森建立了友谊，这促成了《园丁厨师》（2001年）一书的出版，后来他还和在《亲爱的朋友和园丁》（1998年）中合作的园林设计师贝丝·查托建立了友谊。在《观察家报》和《卫报》开设专栏之后，他于2000年被授予大英帝国勋章。

20世纪七八十年代，劳埃德新发现的社交生活让园林疏于打理，园丁主管也因此不断更换。大迪克斯特花园与不远处在国家信托组织管理下的西辛赫斯特城堡花园相比，也显得有些寒酸。即便如此，劳埃德还是尽量鼓励年轻的园丁们，并欢迎崴学院的学生们来园林参观——他们渴望了解一个大型园林和植物收集是如何运作的。

↓大迪克斯特花园丰碑式的花卉边界，是园林的典范。直到后来奇异花园和草地园艺的流行（尤其是受到劳埃德的启发），才使它看起来有点过时，但是种植的植物依然那么绚丽。

1993年，有一个的名叫费格斯·加勒特的年轻人来参观，他很快被任命为大迪克斯特花园的园丁主管，在劳埃德的余生里，他一直在这里工作。有了精力无限的加勒特的支持，劳埃德在园林中进行的一系列重新种植让他成名，更因为他在整个英语世界讲授大迪克斯特花园而更加有名。特别是鲁琴斯的玫瑰花园被清空，被重新种植成一个奇异花园，有充满异国情调的、有建筑感的及色彩鲜艳的植物。在人们普遍认为气候变暖意味着园丁需要亚热带植物时，这个想法与事实相去甚远。不仅仅是因为这些植物需要很多水，而且事实上，英国的气候看起来是注定变化无常的，并没有比以往的任何时候更适合亚热带植物。不过在审美上，这种风格有很大吸引力。同时园林的其他部分也改变了，苗圃的培育田变成色调明亮的花卉边界，劳埃德还尝试了深草花园，曾经摆放在前门旁边的几个花盆，也变成在园林各处的夸张的戏剧化布置。这些改变都非常出色，令人感到惊奇。

书的出版还在继续，其中有3本书特别值得注意，《爱探索园丁的颜色》（2001年）总结了劳埃德对色彩的大胆态度，以及哪些颜色是提亮的；《草地》（2004年）以罗宾逊的种植方式为起点，介绍劳埃德倾注了一生的野花园艺经验；而《探索园丁的持续种植》（2005年）探讨了他喜爱的、劳动强度高的季节间进行的重复种植，以确保园林能持续不断的变换色彩。

在他去世之前，劳埃德建立了一个私人的慈善信托基金来照顾大迪克斯特花园，并让加勒特来掌管它，允许他以同样探险的方式继续从事园艺工作。加勒特已经证明了自己是一个有能力的信徒，并且支持劳埃德在园艺方面的令人眩晕的标准，同时为园林培育出更好的景象。

劳埃德曾被设计师安德鲁·威尔逊描述为"装饰者"。劳埃德自己也承认他不是园林设计师，但他是一个完美的花卉栽培者和园艺师。总有一天，他的作品会成为20世纪园艺的被崇拜的作品。

←费格斯·加勒特是劳埃德的最后一位园丁主管和伙伴，这是他与劳埃德在野苹果树下的合影。加勒特现在仍然经营着这个属于信托公司的、有着劳埃德光环的园林。

贝丝·查托

把正确的植物用在正确的地方
生于1923年

1923年

埃特纳火山爆发，造成6万人无家可归。

德国出现恶性通货膨胀。

首次研发出白喉疫苗。

好莱坞标志在加州启用。

贝丝·查托是20世纪后期所有园林设计师心中的女英雄，她在战后园林业不景气的时期爱上了多年生植物，在当时的园林设计中流行着那些缺乏热情的、不需要太多照料的灌木。在英国园林业又开始蓬勃发展的年代，成功集园林建造师、植物栽培师、记者和作家身份于一身的她，被世界各地的园林设计师们所熟知。在英国，她是迄今为止最著名和受人爱戴的女园林设计师，即使在园林设计明星闪耀的新闻世界里，也能看到她的名字。

查托在埃塞克斯的埃尔姆斯特德市场拥有2.5公顷园林，在某种程度上是一种奇特的创造——那是一种引人瞩目的、舒适的家居生活化和自然主义的结合。人们认同她选择住在20世纪60年代的一个简约现代房子里的想法，他们可以想象自己也住在这里。这里没有什么宏伟的东西（除了几棵强化了园林的古老橡树），没有贵族气派，没有笔直的线条，没有雕塑的焦点，也几乎没有园林之外的风景，这里的一切都是关于植物和把它们放在一起的方式，查托称之为"挂毯式园林"。

她一直支持这样的想法——成功的园艺，需要每株植物都生长在与野外相似的情况下；也就是"把正确的植物用在正确的地方"，而不是鼓励园丁不惜花费更多的劳动和资源成本，用非自然的条件娇惯植物。因此，她非常受新多年生植物运动的实践者（比如皮特·奥多夫）的尊重，即使他们倾向于更学术性的自然风格，比如更茂盛的草。又因为自然风格运动源自100年前的德国市政，所以目前园林还是一个更适合于公共空间的、不太家居化的风格。

↑查托和克里斯托弗·劳埃德，这是20世纪晚期英国的两位花卉园林大师。

　　尽管很受欢迎，但按照21世纪的标准，查托的园林并不是现代风格的，而是20世纪60年代至90年代多年生植物运动复兴同时期的产物。然而，查托在1993年的砾石花园恰好抓住了未来时代的精神——在全球变暖的威胁日益严重时将设计聚焦于干旱的环境。即使在很多年之后的今天，她的园林就算不是抓住了外观的视觉效果，也是切实地掌握了时代的精神。

　　园林设计师，尤其是那些更喜欢直线规则式的设计师，都不太喜欢她的园林。正如她自己解释的那样，她通过了解每个地区的生长条件来进行开发，用软管来界定蛇形花床和草坪的轮廓，然后选择可以在那里茁壮成长的各种植物。"我在地上看到这些可以拼接起来的植物后便问自己，怎么把它们放在一起呢？"答案是一个可以种植出各种不同场景的园林，它可以是一个水花园、一个干燥花园，也可以是个春天花园或是林地花园。虽然这是一个高度理性的原则，但它创造了一个看不出创作者痕迹的园林，就好像植物在掌控自己的命运一

↑贝丝·查托用软管把花床的形状铺设好中间种上物种丰富的、现代的、生态敏感和实用的。但只有那其中的种植才是重要的。

样。这与其他园林是不同的，不管是罗伊·斯特朗的自传式和图像化的园林，或者像克里斯托弗·布拉德利−霍尔这样的设计师的园林作品（后者认为几何学的理性原则和黄金分割定律，是应该直接作为体验的一部分来享受的），都不曾像查托的园林那样自然。

　　查托出生在埃塞克斯郡切姆斯福德附近的古义斯特村，她是一个普通女孩，长大后成为一名教师。在第二次世界大战期间，她遇见了安德鲁·查托（比她大13岁，是查托公司老板的儿子）。他们在1943年结婚，并在他母亲的房子里居住了18年，房子离现在的园林不远。而这个园林是在20世纪30年代早期购买的土地，这里原本打算建造一个水果农场。

　　1960年，当贝丝·查托37岁的时候，他们搬到了农场，建造了一座新房子，旁边是一片灌木丛生的、从农业角度上来说的荒地。她没有接受过正规的园艺教育，只在孩提时代照顾过花园。在教师培训期间，她曾在与花园相关的学校项目中探索过园艺，战争期间她在任教的乡村学校种植过蔬菜。对植物栖息地长期的研究，为她对野生植物的兴趣提供了经验支持，并使其成为一项由查托创立和经常被引用的园艺方法和原则。

在查托婚姻生活的早期，她遇到了画家塞德里克·莫里斯，他在哈德雷附近的本顿街开设了一所艺术学校。查托成为那里的常客，学习了色彩的运用，并从莫里斯对植物和鳞茎的热爱，以及鸢花和罂粟的杂交中获得知识。这里是各种艺术家和园林设计师的聚会场所，包括卢西安·弗洛德、玛吉·汉布林和维塔·萨克维尔-韦斯特。

在20世纪50年代，查托曾在切姆斯福德花卉俱乐部参与插花。在那里，她发现当地和全国各地的插花者都在费力地寻找有趣而不寻常的植物，尤其是落叶植物。她在四处游历做展示时产生了一个想法，即建立一个提供这类植物的苗圃。1967年，她的苗圃"不寻常植物"诞生了。1975年，她参加了一个皇家园艺协会的威斯敏斯特展览，结果赢得了银牌。在这一成功的鼓舞下，她在1977年切尔西花展上展出自己的展品，并获得了一枚金牌，之后连续10年都获得了这样的成绩。这些早期的展品，被整整一代园丁当作全新的植物铭记在心。

1978年，她出版了她8本书中的第一本《干燥花园》；1982年，她出版了《潮湿花园》；2000年出版了《贝丝·查托的砾石花园》；2002年出版了《贝丝·查托的林地花园》。到了20世纪80年代，她在世界各地巡回演讲，有时是在她的好友克里斯托弗·劳埃德的陪伴下巡演，并于2002年被授予大英帝国勋章。

↑查托在切尔西花展上获奖的展品之一。她的苗圃"不寻常植物"以自然的方式向观众展示植物，这在当时是一个创新。

春天的"林地花园"也是她最后的探索之一

↑ "水花园"是查托园林第一个被开发的区域。就像之后每一个新开发的部分一样，她写了一本关于它的书——《潮湿花园》，这本书成为种植者的必读书目。

园林本身也在按阶段发展，每一个新的区域都根据不同的位置和条件呈现不同的特征。从房子下面的湿沟开始，她把它们变成了一系列的池塘，最后建立了一个林地花园。尽管对种植有严格的要求，但园林仍然保留着一种家园的感觉，没有成为一个机构的展示园林。

1993年，当她来自苏塞克斯郡的朋友克里斯托弗·劳埃德正在做他那需要很多水的"奇异花园"时，查托在建"砾石花园"，这是与东安格利亚气候带来的、类似干旱环境作斗争后建立起来的花园。公众对两个花园都很喜欢。砾石花园建在一条粗犷的石场上，这里曾经是一个停车场，建花园的目的是为了看看全世界各地的耐旱植物在充分准备好的土壤上是不是可以不浇水就能生存。它确实达到了所有的预期和目的，并且成为园林中最著名的部分，它为那些想在炎热的石头地上建造花园的人们提供了很好的经验。

查托的园林设计风格一直保持不变，由水管规划的、开放空间的蜿蜒河口组成的。不管是草地还是砾石，在弯曲的花床上种植着混杂的、密集的植物，包括从鳞茎植物到多年生植物、从灌木到乔木和攀缘植物。她一直牢记日本的"三角形原则"——那是一种高大的形状，一个圆圆的、有分量的形状，一个有层次的形状，这些都是从插花中学到的。整个构图把视野抬高，就像她所说的"描绘天空"那样。她使用了有趣和不寻常的植物，这些植物都是经过测试后才使用的。

　　查托现在90多岁，她从来都不是一个愿意把工作委托给别人的人，但现在看来，她的家人会承担起管理园林的责任，她的家族企业会继续下去。如果现代园林设计师哀叹英国设计被困在了工艺美术园林风格阶段（即以慷慨的植被软化坚实的几何结构），好像还处在爱德华时代的鲁琴斯和霍布豪斯方式的园林阶段里，那么查托的设计是实现了另一种风格，即在蜿蜒的园林空间里看不见一条直线。她为这种丰富并具有智慧的种植风格提供了一个可能的选择，而这种种植风格可以指明英国园林前进的道路。

↓砾石花园向人们展示在令人生畏的干旱砾石土地上，使用正确的植物可以达到的效果。它引起了对全球变暖担忧的园丁们的共鸣。

皮特·奥多夫

种植设计新思维的先锋人物

生于1944年

1944年

苏联军队解放克里米亚。

288万盟军在诺曼底登陆。

维苏威火山最后一次喷发。

世界上第一个连接英国和法国的海底石油管道铺设成功。

把荷兰人皮特·奥多夫称为园林设计师可能不太准确，他首先是一位才华横溢的种植设计师，他最引人注目的设计方案都是为公众和机构客户提供的，而他的园林工作却从未有过家庭居住、柔化房屋的类型。

奥多夫是一个身材高大、金发碧眼的男子，你可以很容易地把他当成一个园林设计师。他的英语很好，这一点也不奇怪，因为他的设计作品在英国和美国最为出名，而在美国的作品占了他所有项目的百分之七十。他出生在第二次世界大战末期，他的父亲是一位餐馆老板，在哈勒姆附近的乡下拥有酒吧。数学是奥多夫的拿手的学科。但后来他进入了家族企业，娶了妻子安雅，他们养育了两个男孩。当他25岁的时候，他便开始寻找更多的刺激，在辞掉一系列不满意的工作之后，他去了一个园林中心，在那里他发现植物是自己热爱的事业。在一个景观设计和承包办公室工作的时候，他研究了景观承包，之后建立了自己的公司并从事园林建造。

在20世纪70年代，他带着家人一起去欧洲参观各地的园林，在那里结交朋友和建立联系。1981年，37岁的他在荷兰东部的胡梅洛买了一套房子，包括一些土地，他在那里建立了苗圃，出售他想在自己的种植设计中使用的，但不容

→ 年轻的奥多夫和他的妻子安雅在胡梅洛。他们都是热忱的、精力充沛的种植培育者，他们渴望出国看看其他国家的情况。胡梅洛的苗圃和园林成为园丁们的圣地。

↑胡梅洛园林以修剪成波浪形的紫杉树篱而著名。奥多夫的冬季园林剪影轮廓，在欧洲大陆和美国的寒冷大陆气候中取得了成功，它们的趣味和美丽，不亚于它们在整个夏天呈现的景色。

易买到的植物。几年来，他与曾任克里斯托弗·劳埃德的园丁主管罗曼·范·德·卡亚合作过，但两人在1985年分开。后来妻子安雅加入进来，而奥多夫自己则在英国、丹麦、瑞典和德国等地的专业苗圃里寻找适合自己种植风格的各种半野生植物，尤其是多年生植物。随后，他在胡梅洛进行了严格的育种计划，培育出许多优良的新品种。

奥多夫将苗圃作为一家零售企业来经营，虽然没赚多少钱，但在8月份的开放日里却闻名遐迩。园丁们从四面八方赶来，杂志的摄影师们也来了，他们热衷于在奥多夫园林中拍摄新种植风格的图片。到20世纪80年代末，他的知名度越来越高，他的设计工作终于开始起步。

奥多夫一直注重自己的技能，并乐于作为一名种植设计师与擅长设计空间和基础结构的景观设计师合作。他对写作也同样热忱，他的大部分著作都是与其他作家合作的。1990年，他与荷兰园林设计师亨克·格里森合作出版了他的第一本书《自然主义园林种植》，后来翻译成英文版。当它被翻译成瑞典语版本时，奥多夫被邀请在瑞典的一个会议上发言，这成为新的多年生植物运动的起点。接下来在裘园举办了多年生植物前景会议，它的目的是促进在城市种植中以低维护方式使用多年生植物，以此给原本枯燥无味、严重依赖灌木和常绿植物的市政色调带来丰富的变化。奥多夫帮助建立了"未来植物公司"，这是一个苗圃集团企业，他负责寻找或培育新品植物，许多植物需要植物育种者授权后才被允许出售。具有讽刺意味的是，它的总部原本设在欧洲，后来需要大量美国植物用于园林种植时，奥多夫将未来植物公司转到了美国。

从20世纪90年代开始，奥多夫的种植风格开始从修剪、造型大量的多年生植物及草类植物（在他自己的园林里将紫杉树篱修剪成波浪形），演变成一种更复杂、更松散的风格。他为约翰·科克在汉普郡设计的伯里院落，成为他在英国的展示典范。2000年《园林画报》的编辑罗西·阿特金斯，请他为切尔西花展中

↓结霜的种穗和草类。奥多夫以自然方式种植大片单一品种的植物，并产生出强烈的效果，这是一种复杂而浪漫且对于大自然的提升。

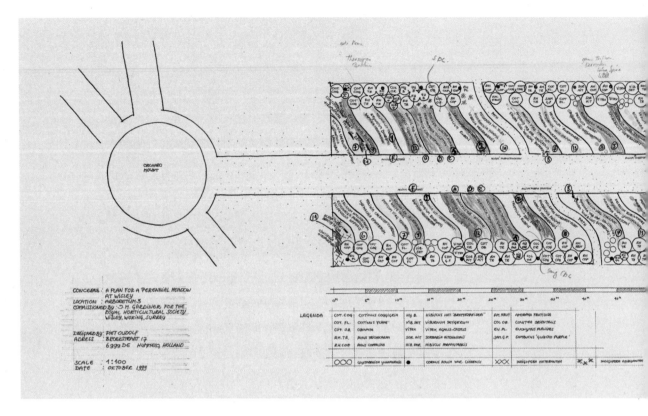

阿恩·梅纳德设计的展示花园进行种植（它获得了一枚金牌和最佳展示奖项），奥多夫因此广受赞赏。后来奥多夫接到了在诺福克郡的一大片水边种植项目，这里属于彭斯索普野禽保护区，是约克郡斯坎普斯顿的、一个巨大的、有围墙的园林项目；他还为皇家园艺协会的韦斯利花园设计了一对巨大的花卉双边界：奥多夫还有更多合作出版的书籍，相继推出。

到现在，奥多夫的名气已经传到了美国，即使在他的祖国荷兰，他依然被称为育苗者。2002年，他被邀请在曼哈顿南端的巴特里为纪念花园工作。2004年，他又在曼哈顿为他最著名的项目高线公园工作，这是一个2.4公里长、高出地面10米的线性公园，是一个蜿蜒穿越纽约西区的、废弃的高架铁路线。这是一个梦想工程，他很乐意（如他所说）不收取任何费用来完成它。奥多夫在景观设计师创

↑高线公园是一个非常受欢迎的线性公园，在纽约市中心废弃的高架铁路线上建造。奥多夫主要是一名种植设计师，并被要求用他独具特色的色彩丰富的浪漫主义和田园自然主义的种植来实现景观设计师的方案。美国本土的多年生植物，经过仔细的适应性研究被纳入该设计。

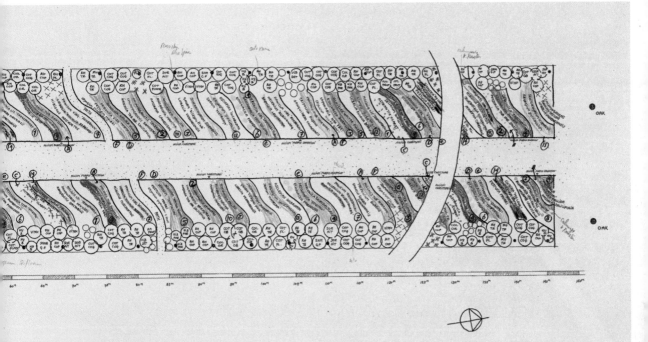

建的框架下进行种植，即使在土壤只有40厘米厚的地方，也尽可能让植物看起来郁郁葱葱。奥多夫仔细研究了美国大草原上的本土植物，包括卢瑞花园，也包括高线公园。而这种城市田园的方式，使他的种植对纽约人产生了巨大的吸引力。

2007年，他在南塔的一个重要家庭花园项目，巩固了他成为美国最受欢迎的设计师的地位。在英国，奥多夫被要求在斯塔福德郡的特伦特姆宅邸（与汤姆·斯图尔特-史密斯一起）建造一个园林，他结合了蜿蜒的草地小路和草坪，以自然的形态种植大片多年生植物，地面上设计的鲜明曲线和花体线形仿佛回到了艾伦·布鲁姆在20世纪70年代的设计作品，或是贝丝·查托的园林。但这种使用繁茂的深草和轮廓清晰的多年生植物，其中许多高过头顶，成为草坪的篱墙的种植方式毫无疑问是奥多夫风格。2014年，他在萨默塞特郡的豪瑟与沃斯画廊的园林对外开放，使用的是一种类似草类的组合，分开成排的（更分散的）多年生植物，它看起来将成为奥多夫工作追求的新目标。

是什么使奥多夫的种植如此特别呢？在过去的几年里，它已经从由单一物

↑高线公园是一个非常受欢迎的线型空中花园，建在纽约的一条废弃的高架铁路上。奥多夫作为一名种植设计师被邀请来设计这个公园的方案。他将浪漫的乡村自然主义与美国土著风格进行结合，融合在方案之中。

种组成的种植主题转移到混合品种的种植，然后再到一种更加分散的种植，并以重复的、更高大的特色植物进行间隔点缀；而最近则是一种以多年生植物为基质、重叠种植一年生植物的方式。他在纸上用钢笔彩绘种植方案，用透明的描图纸添加季节性的重叠种植。

奥多夫的种植项目没有一个是出于可持续发展的目的，以谨慎的、德国学派的方式重建正确的生态栖息地；相反，他在项目中运用了来自世界各地的植物品种和栽培品种进行混合种植，它们在最低限度的维护下和谐共生。奥多夫非常明确，只要提供适当的技术维护，他的种植设计预计可持续15年，而且他希望花园一直遵循他最初的种植设计。他承认自己的种植方式将同时包含浪漫与怀旧，这是他站在潮流的巅峰所作出的有勇气的认可。就像一片草地一样，既有大面积摇曳的、简单的草类植物，也包含了重叠的植物层。这些植物既能有很长的花期，也能在冬季提供坚实的结构骨架，使园林在视觉和情感上，就像在夏天的生长期一样有吸引力，这也是他展现时间流逝和生命短暂的方式。

颜色和色彩关系对于奥多夫来说，并不像传统的杰基尔学派那样，被作为园林设计中最关键的要素。但是他种植自然主义风格的、松散的模式，避免了大的冲突。对于奥多夫来说，质感关系要为重要，冬季棕色和象牙色的霜冻场景，与盛夏时的场景同样吸引人。奥多夫把两个季节的馈赠都献给了他的观众，特别是他的城市观众，通过原始、野生装点的美丽，捕捉到了时代的精神。

↓芝加哥的卢瑞花园被视为一个由多年生植物和草本植物组成的、具有自然主义风格的巨大花卉草原。这里运用了两个巨大的肩树篱，使空间再一次在它开放的两边被植物围合。

史蒂夫·马蒂诺

沙漠园林中的自然主义种植

生于1946年

1946年

地产大亨、美国总统唐纳德·特朗普出生。

叙利亚官方宣布脱离法国独立。

在比基尼环礁进行了第一次水下核试验。

特百惠第一次在美国销售。

许多优秀的园林设计师首先是建筑师的身份，如鲁琴斯和克里斯托弗·布拉德利–霍尔，史蒂夫·马蒂诺也是如此。对园林设计师来说，建筑师是一个很好的训练。但是马蒂诺会更进一步，他建议建筑师也应该是景观设计师，因为建筑和园林两个学科之间的关系非常紧密。然而，尽管他对园林的结构着迷，马蒂诺最出名的还是他的种植。因为他

本人一直住在亚利桑那州的凤凰城，所以他的园林通常维护成本很低，且由本地植物（特别是更多沙漠植物）组成。30年前，史蒂夫·马蒂诺就根据可持续性的常识，创造出了这样的景观——锯齿状的仙人掌、纤细的金色假紫荆树，还有彩色混凝土墙和闪闪发光的水池。当时园林世界的大多数设计者甚至还没有开始考虑这些问题，因此有人说这些都是马蒂诺的"发明"，他不需要做任何改变，就从异教徒变成了英雄。

马蒂诺是在二战后出生的，他承认自己是一个辍学的城市青年。他是亚利桑那男孩牧场的牧马者，带着其他十几岁的孩子在沙漠

↑ 史蒂夫·马蒂诺。

→在任何气候条件下，移动昂贵的植物都会涉及许多技术挑战。头重脚轻的、多刺的、易受伤的多肉植物，似乎是不可征服的，需要彻底的护理才能使它们完好无损的就位。

↑西班牙传统的经过单色渲染的墙壁，通常是彩色的，是上演影子游戏的绝佳背景墙，也为避免强烈阳光直射和热风侵扰提供保护。这片绿洲就像其他地方一样，包含经过规范管理的流水景观。

里骑马，或者参观一个生活在拖车里的、隐居老人种植的仙人掌花园。骑马到圣坦山公园，让他迷上了沙漠的景色。

由于对植物的兴趣，马蒂诺得到了一份景观设计师的工作。出于他对本地植物的热情，他对于这个行业不断地使用植物的方式感到震惊——景观设计师们往往会使用那些能在世界各地的商业景观中找到的植物。这不是景观美化，确切地说这是对自然环境的破坏。为什么有人要抹去索诺兰沙漠的自然环境，把它换成一些人造的环境呢？它本身有那么多吸引人的地方，并且可以很容易地适应当地的园林和城市景观。"为什么不赞美沙漠，而是要代替它呢？"他这样问。

两年后，他决定在亚利桑那州立大学学习艺术和建筑学，并很快得出结论：在景观设计中使用合适的种植方式，是每个建筑师都应该了解的课题。意大利建筑师保罗·索尔里，在得克萨斯州进行的项目中也表达了对当地景观的尊重，这对马蒂诺是一种启发。在建筑公司工作了两年并参与了一些景观设计项目之后（1975年），他发现自己已经成了一名有着自己经验的景观设计师。

照片不能准确地传达热量的感觉，在索诺兰沙漠，年降雨量为13~18厘米，阳光是可以致盲的，在某些年份，会有30天以上的时间气温会超过43摄氏度。植物可以生存，甚至享受它，但这不在大多数景观建筑师的经验当中，特别是那些已经在温和的气候中接受教育的设计师。马蒂诺在美国西南部的职业发展过程中，已经改变了对公共和专业的认知——即现在已经成为常态的、大多数设计师知道的如何使用本地植物。

索诺兰沙漠的气候对于人们来说，就像对植物一样异常严酷，这就是为什么遮阴和避雨的地方是这个园林的一个重要部分。不包括具有较温和气候特征的遮阴阔叶树，原生的本地植物通过将水分密封在不透水的多肉植物体内，或将其叶片缩小到最小的比例，从而减弱水分蒸腾作用来适应高温。因此，遮阴和保护必须通过建造墙和建筑物来实现。马蒂诺说，他的工作只是在建筑和自然之间建立联系，而不是把植物放在建筑物周围，一个好的园林需要一个情感的回应。就像托马斯·丘奇一样，马蒂诺的目标也是创造一个理想的生活场所。他对园林的

↓日出时分，位于亚利桑那州沙漠植物园的仙人掌屋。沙漠植物区有需要保护的物种，这一点正好合乎马蒂诺的心意并能满足他的职业需要。这里收集的仙人掌品种十分齐全。

最低要求是："一棵树、一面墙、一把椅子和一点水景。"

马蒂诺对类似土坯的混凝土墙的喜爱，一部分来自于他对当地墨西哥建筑的研究，他证明了在必要时使用混凝土的环境生态接受能力很强。他所使用的丰富色彩，是对耀眼的沙漠光线冲淡颜色和阴影方式的重要补偿。他还融入了其他现代或高科技材料，作为一个非常喜欢借用风景的人，他还经常使用玻璃。他的园林中从不缺少水，但他把水放在规则式的几何形水槽和小溪里，这是摩尔人和波斯人在炎热气候下的园林中运用珍贵液体的方式。当马蒂诺参观西班牙阿尔罕布拉宫的狮子宫时，他感到很惊讶。因为那里没有古老的植物，只有古老的结构，这使他看到了植物总是次要于结构的重要性。园林在种植之前，应该被看作一个空间。

显然，马蒂诺很喜欢植物，并且沉迷于那些灰色的沙漠植物在色彩斑斓的建筑面前的表现。在他早期的职业生涯中，他发现几乎不可能买到本地的植物来再建他的沙漠项目，所以他收集种子并自己种植。他还意识到，沙漠鸟类的食物更依赖昆虫而不是种子。因此，通过满足种植需要，一个园林会迅速发展出自己的传粉者和掠食者——这是他的"野草和墙壁风格"。

在位于亚利桑那州菲尼克斯附近的帕帕哥公园的沙漠植物园里，马蒂诺设计了获奖的西比尔·哈林顿仙人掌和多肉植物展览馆，于2008年开业。8.5米高的钢网隧道，由赤土色的彩色混凝土拱桥支撑，为来自各大洲的沙漠植物提供精心管理的户外环境。它们的位置，在一定程度上是由一些太大而不能移动的古老仙人掌所决定的，但马蒂诺也安排它们形成沙漠边缘的景框。他的目的是在隧道下面安排较小的植物之前，创造出一个具有完整性和位置感的地方。

↑创造一个仙人掌与垫瓦的屋顶。这与在温带地区使用景天属植物和石莲花的绿色屋顶没有太大的区别，它们也是多肉植物。

　　他最引人注目的项目，是与纽约艺术家乔迪·平托在帕帕哥公园合作创建的"生命之树"。这个公园，曾经满是标志性的树形仙人掌，即巨人柱，能够长到18米，但现在已经被兔子损伤无法再生。"生命之树"由石柱、小溪和梯田构成，用来收集沙漠里的水和冲洗被附近的道路建设破坏的部分，这些梯田现在是壮观的、可自我更新的沙漠植物场地。

　　在图森山麓的一个马蒂诺设计的家庭园林里，同样可以看到园林和沙漠之间的关系。在一所现代化房屋旁的景观中，从每一扇门出来，都有小路引导人们穿过花园来到周围的沙漠。靠近房子的规则式游泳池，柔化了强烈日晒下的景色，也为沙漠动物提供了饮水场所。马蒂诺从来不为他充满想象力的使用水景而表示歉意，他也从不令人失望，因为他总能让水景成为沙漠气候下的、舒适宜人的奢侈景色。再加上沙漠种植，使得马蒂诺园林变得容易辨认。

↓图森的一个园林。在那里，马蒂诺将园林与景观简单地连接起来，并留了一条直接进入沙漠的小路。同样的植物分别在园林和沙漠中生长，使房子的几何线条与自然景观融合在一起。

图片来源

a = above, b = below

1 From Repton, H., Fragments on the Theory and Practice of Landscape Gardening, London, 1816; 2 Wellcome Library, London; 4–5 © Karin Fremer; 6 © 2006 John Hedgecoe/Topfoto; 7 Wellcome Library, London; 8 Photo RMN-Grand Palais (Château de Versailles)/Gérard Blot; 9 Paul Mellon Collection, Yale Center for British Art, New Haven; 11 © Philippe Huchez; 12 © Piet Oudolf; 13 Steve Martino; 14–15 Landeshauptarchiv Sachsen-Anhalt, Dessau-Rosslau; 17 © John Lander (www.asiaimages.net); 18a The Art Institute of Chicago; 18b Metropolitan Museum of Art, New York; 19 National Palace Museum, Taipei; 20 Metropolitan Museum of Art, New York; 21 © John Lander (www.asiaimages.net); 22 © Gordon Sinclair/Alamy Stock Photo; 23 Imperial Collection, Tokyo, Japan; 24 British Museum, London; 25, 26 © Alex Ramsay/Alamy Stock Photo; 27 Imperial Collection, Tokyo, Japan; 29 National Portrait Gallery, London; 30 London Borough of Lambeth, Archives Dept. Photo Alan J. Robertson, LBIPP; 31a Paul Mellon Collection, Yale Center for British Art, New Haven; 31b Devonshire Collection, Chatsworth; 32 Photo © roseov/123RF.com; 33 © Andy Malengier; 34 J. Paul Getty Museum, Los Angeles; 36–37 Courtesy Royal Academy of Fine Arts, Stockholm; 38 Paul Mellon Collection, Yale Center for British Art, New Haven; 39 Trustees of the British Museum, London; 41 Photo Jerry Harpur. © Harpur Garden Images; 43 Bildarchiv Heinz Fräßdorf , Kulturstiftung DessauWörlitz, Dessau-Rosslau; 44 Landeshauptarchiv Sachsen-Anhalt, Dessau-Rosslau; 45, 46 Bildarchiv Heinz Fräßdorf , Kulturstiftung DessauWörlitz, Dessau-Rosslau; 47 White House Historical Association (White House Collection); 48 © Thomas Jefferson Foundation at Monticello, watercolour of Monticello by Jane Pitford Braddick Peticolas, 1825; 49 American Philosophical Society, Philadelphia; 50 Collection of the Massachusetts Historical Society; 51 © Thomas Jefferson Foundation at Monticello, photo Leonard G. Phillips; 52 Photo © Werner Hannappel; 53 Photo Sam Rebben. By courtesy of The Estate of Ian Hamilton Finlay; 54 © gardenpics/Alamy Stock Photo. By courtesy of The Estate of Ian Hamilton Finlay; 55 Photo Sam Rebben. By courtesy of The Estate of Ian Hamilton Finlay; 56 Photo Michael Loudon. By courtesy of The Estate of Ian Hamilton Finlay; 57 Photo Sam Rebben. By courtesy of The Estate of Ian Hamilton Finlay; 59 Chris Barham/Daily Mail/REX Shutterstock; 60, 61, 62 © Jonathan Myles-Lea; 63, 64, 65 © Clive Boursnell; 67a Photo Ian Rutherford. Courtesy Charles Jencks; 67b, 68 © Charles Jencks; 69 © gardenpics/Alamy Stock Photo; 70–71 © Charles Jencks; 72 © Charles Jencks & Jencks Squared; 73a, 73b © Charles Jencks; 74 © Joan Sullivan; 75 Les Amis des Jardins de Métis Collection; 76, 77a, 77b, 78, 79, 80, 81 © Louise Tanguay (www.louisetanguayphoto.ca); 82–83 Bibliothèque nationale de France, Paris; 85 Photo Château de Versailles, Dist. RMN-Grand Palais/Christophe Fouin; 86 Rijksmuseum, Amsterdam; 87 © Arnaud Chicurel/Hemis/Corbis; 88 The Getty Research Institute, 84-B21384; 89 Photo RMN-Grand Palais (Château de Versailles)/Gérard Blot; 90, 91 Nesfield Archives; 92 Photo courtesy Broughton Hall; 93 Royal Collection Trust/ Her Majesty Queen Elizabeth II 2016; 94a From Morris, F. O., A series of picturesque views of seats of the noble-men and gentlemen of Great Britain and Ireland, London, 1880; 95 Photo © Philip Bird/123RF.com; 96 Edward Gooch/Getty Images; 99a RIBA Collections; 99b, 100 © Country Life; 101 © Michael St. Maur Sheil/Corbis; 102, 103 © Country Life; 105, 109 Photo Marcus Harpur © Harpur Garden Images; 106, 110, 111, 113 Photo Jerry Harpur © Harpur Garden Images; 114, 115, 116 The Garden Museum, London. Courtesy The Estate of Russell Page; 117 © Alex Ramsay/Alamy Stock Photo; 118, 119 RHS, Lindley Library/Courtesy The Estate of Russell Page; 120 Photo © Louisa Jones; 121, 122 © Philippe Huchez; 123 Clive Nichols/GAP Photos; 125 © Philippe Huchez; 127 © Sam Luke Walton; 128 Photo Jerry Harpur. © Harpur Garden Images; 129 © The National Trust Photolibrary/Alamy Stock Photo; 130 Photo Jerry Harpur. © Harpur Garden Images; 131 Photo Mick Hales/The New York Botanical Garden; 133 Courtesy Christopher Bradley-Hole; 134a © Andrew Lawson; 134b Photo Jerry Harpur. © Harpur Garden Images; 136a © Hugh Palmer; 136b, 137 Courtesy Christopher Bradley-Hole; 139, 140

图书在版编目(CIP)数据

悟园：40位造园大师背后的故事/(英) 斯蒂芬·安德顿著；景璟，王宏飞译. －武汉：华中科技大学出版社，2019.3
ISBN 978－7－5680－4718－0

Ⅰ.①悟… Ⅱ. ①斯… ②景… ③王… Ⅲ. ①园林设计－工程技术人员－生平事迹－世界 Ⅳ.①K815.616

中国版本图书馆CIP数据核字(2018)第281694号

Published by arrangement with Thames & Hudson Ltd,London
Lives of the Great Gardeners © 2016 Thames & Hudson Ltd
Text © 2016 Stephen Anderton
This edition first published in China in 2019 by Huazhong University of Science and Technology Press,Wuhan City
Chinese edition © 2019 Huazhong University of Science and Technology Press

简体中文版由 Thames & Hudson Ltd, 授权华中科技大学出版社有限责任公司在中华人民共和国（不包括香港、澳门和台湾）境内出版、发行。
湖北省版权局著作权合同登记　图字：17-2018-236 号

悟园：40位造园大师背后的故事

WUYUAN: 40 WEI ZAOYUAN DASHI BEIHOU DE GUSHI

[英] 斯蒂芬·安德顿　著
景璟　王宏飞　译

出版发行：华中科技大学出版社（中国·武汉）　　电话：(027) 81321913
　　　　　武汉市东湖新技术开发区华工科技园　　邮编：430223
出 版 人：阮海洪

责任编辑：吕梦瑶　　　　　　　　　　　　　责任监印：秦　英
责任校对：尹　欣　　　　　　　　　　　　　装帧设计：张　靖

印　　刷：天津市光明印务有限公司
开　　本：889 mm×1194 mm　　1/16
印　　张：18.5
字　　数：150千字
版　　次：2019年3月第1版第1次印刷
定　　价：98.00元

投稿热线：(010)64155588－8000
本书若有印装质量问题，请向出版社营销中心调换
全国免费服务热线：400-6679-118　竭诚为您服务
版权所有　侵权必究